L'AMOUR
EN PERLES

PRINCIPAUX OUVRAGES DE JEAN-CHARLES

JEAN-CHARLES

L'AMOUR
EN PERLES

PRESSES POCKET

© *Presses de la Cité*, 1974.

ISBN : 2 - 266 - 00682 - 7

Aimer ou avoir aimé, cela suffit.
Ne demandez rien ensuite. On n'a pas
d'autre perle à trouver dans les plis
ténébreux de la vie.
    Victor Hugo : *Les Misérables.*

PRÉAMBULE

— JE me dépêche de vous reconduire à la gare, parce que ce soir j'ai un rendez-vous.

La dame qui me faisait cette confidence sourit :

— Voyez-vous, depuis vingt-huit ans, nous nous retrouvons chaque année, à la même heure, au même endroit, celui de notre première rencontre.

— Vous n'avez jamais oublié?

— Mon mari, une fois. Il assistait à une réunion importante et il a été très vexé d'avoir manqué notre rendez-vous.

Quelques jours plus tard, je racontai cette anecdote à Georges et Christiane.

— Au fond, dis-je, si j'avais plusieurs centaines d'histoires comme celle-ci, je pourrais écrire *les Sourires de l'amour.*

— Je croyais que vous vouliez faire un livre sur les petites histoires des grandes Écoles.

— J'y pensais, mais après *la Foire aux bidasses*, c'est-à-dire après la guerre, l'amour me semble davantage dans l'ordre naturel des choses.

Déjà, je cherchais un titre : *les Mille et une*

nuits du rire... les Mille et un rires de l'amour...
l'Amour qui rit... le Rire amoureux...

— Pourquoi pas *les Gaietés de l'escalade?* proposa Georges.

— Il pense à notre nuit de noces, dit Christiane. Figurez-vous que nous avions oublié les clefs de la maison où nous devions coucher.

— En nous voyant escalader la grille, le voisin nous a pris pour des cambrioleurs.

— Finalement, tout s'est arrangé. Il nous a prêté une échelle et Georges est monté par une fenêtre, heureusement restée ouverte. J'aurais bien aimé qu'il me prenne dans ses bras...

— Pour nous retrouver à l'hôpital!

— Enfin, bref, il a ouvert la porte.

— Et, conclut Georges qui n'a pas peur des mauvais jeux de mots, le reste c'est du remplissage.

— Eh bien voilà, dis-je, mon livre est commencé.

— Oh! ce n'est pas drôle!

Drôle ou pas, j'aimais leur façon d'évoquer ce souvenir. Vingt ans après, elle attendrie, lui faussement bougon.

Des histoires, on m'en a raconté bien d'autres, ce qui ne veut pas dire que tout le monde ait accepté de se confier à moi. Mon Jérôme de fils et mon Vincent de neveu n'ont guère été coopératifs.

— Je ne veux pas que tu « t'imminisces » dans ma vie privée, m'a dit le second.

On éprouve souvent des difficultés à se confier à ses parents.

— Un jour, m'a raconté Jean-Louis, je devais partir avant le déjeuner. Puis j'ai appris que je pourrais voir Hélène, alors j'ai dit à ma mère : « Oh! je vois que tu fais des moules, j'aime beaucoup ça, je reste. » En réalité, je n'aime pas du tout les moules et le pire c'est que, pour me faire plaisir, ma mère m'en a refait plusieurs fois.

Le Jean-Louis que je viens de citer s'appelle réellement Jean-Louis, mais je ne préciserai pas toujours le prénom, encore moins le nom, de ceux qui m'ont fait des confidences. Quant à moi, je n'en ferai qu'une : à l'âge de dix ans, je rêvais d'épouser une blonde aux yeux verts. Or c'est exactement le cas de ma Jehanne de femme, preuve qu'en amour les rêves se réalisent parfois.

Cela dit, j'avoue que j'ai interviewé davantage de dames que de messieurs, sans doute parce qu'elles se livrent plus volontiers.

— Pourtant, m'a dit Carol, les garçons entre eux en racontent de belles.

Des trop belles souvent! Aussi me suis-je méfié des mythomanes et autres affabulateurs. D'ailleurs, à âge égal, les femmes sont plus libérées et surtout elles savent mieux parler de leurs amours. Encore que certaines aient été surprises par mes questions :

— Mes amours? me dit une jeune Parisienne. Mais je suis mariée!

Une enseignante de Pau protesta contre l'orientation de mon livre :

— Amour et humour ne sont pas synonymes. Demandez à une jeune fille si elle ne prend pas son premier amour au sérieux, voire au tragique... Et quand l'amour aboutit, que deux êtres s'aiment, c'est grand, c'est beau, mais absolument pas « rigolo ».

Rigolo peut-être pas, mais joyeux sûrement. Et les gens gais sont souvent ceux qui accumulent le plus d'années de bonheur. Quant à l'humour, il est et restera le meilleur allié de l'amour. Combien de ruptures, combien de drames auraient pu être évités avec un grain d'humour!

C'est pourquoi, lorsqu'en 1969 j'écrivis un

Simple Dictionnaire d'éducation sexuelle, j'y glis-
sai quelques anecdoctes amusantes. Ce livre
devait surtout m'aider à répondre aux questions
posées par Jérôme et Vincent. J'avais bien essayé
de leur acheter un manuel, mais mon libraire me
proposa celui (d'ailleurs affreux) que j'avais lu au
même âge, quelque trente ans plus tôt.

Depuis, on est passé de la pénurie à la pléthore.
Jusqu'aux journaux qui débitent de l'éducation
sexuelle en tranches. Il me parut alors inutile de
rééditer mon *Simple Dictionnaire*. Mais, d'un
autre côté, comme il faut que rien ne se perde,
j'ai récupéré quelques éléments qui méritaient
soit de survivre, soit d'être approfondis. Car le
rire n'est pas forcément superficiel et une anecdote est souvent plus révélatrice qu'un long discours.

Certes, bien des gens ont parlé de l'amour. Il
me semble pourtant qu'il y a encore et qu'il y
aura toujours des choses à dire à ce sujet.

L'amour reste en effet un des derniers mys-
tères de notre temps. Au moment où les hommes
se promènent sur la Lune, où les savants dissè-
quent les atomes, il demeure, comme au siècle de
Madeleine de Scudéry, *un je ne sais quoi, venu de
je ne sais où et qui finit je ne sais comment.*

Grâce à la douce cérémonie, ce qu'on vous défendait hier, on vous le prescrira demain.

Beaumarchais :
le Mariage de Figaro.

LA BAGUE AU DOIGT

JEAN-YVES (sept ans) venait de regarder un film à la télévision.

— C'était bien, raconta-t-il à sa tante, ça finissait en amoureux.

— Tu sais ce que c'est des amoureux?

— Bien sûr, c'est quand ils commencent à s'étrangler.

Étienne (sept ans) avait vu un jeune homme et une jeune fille en train de s'embrasser.

— Jamais je ne ferai ça, dit-il d'un air écœuré.

— Tu verras quand tu seras grand, que tu seras amoureux.

— D'abord, quand je serai grand, je serai pas amoureux, je serai architecte.

Les architectes sont amoureux comme les autres. L'un d'eux avait rendu visite à un copain photographe. Il le trouva en train de laver des photos dans un bac.

— Dis donc, elle est bien, cette fille. Tu devrais me la présenter.

C'est ainsi que tout commença. Car le coup de foudre n'est pas une invention des romanciers.

— Mon père et ma mère se sont aimés dès le premier regard, m'a raconté une dame.

Un jour d'orage, à la poste de Ballancourt-sur-Essonne, Jacques remarqua Françoise. Quand ils sortirent, il pleuvait à torrents. La jeune fille n'avait pas d'imperméable et Jacques regretta bien d'être sans parapluie.

Françoise se mit à courir de porche en porche, pour finalement entrer à la boucherie, juste dans l'immeuble où habitait Jacques.

« J'ai le temps d'aller chercher mon parapluie », pensa le jeune homme qui, au premier étage, se heurta à la concierge.

— Vous qui êtes grand, dit-elle, vous ne voulez pas me changer cette ampoule?

Les quelques instants perdus faillirent être fatals à Jacques. Quand il se retrouva devant la boucherie, Françoise était partie.

Mais... mais oui, c'était elle, là-bas au coin de la rue. Un sprint et, juste au moment où Jacques rejoignait Françoise, la pluie s'arrêta :

— Je n'ose plus vous le proposer, dit-il en montrant son parapluie.

Peu après, Jacques et Françoise fixèrent la date de leur mariage, en espérant qu'il ne pleuvrait pas ce jour-là.

Il y a un siècle, les mariages ne se décidaient pas sous « un petit coin de parapluie ». Vers 1880, Eugénie habitait Delémont, dans le Jura suisse, et elle vivait en donnant des leçons de piano.

— Pourquoi n'épouserais-tu pas Henri? dit l'oncle d'Eugénie.

Henri vivait à Paris, mais venait en vacances à Delémont. Il n'était ni grand ni beau, il était même légèrement contrefait, mais il était charmant et il appartenait à une riche famille.

— Autant celui-là qu'un autre ou que pas du tout, dit Eugénie.

Seize ou dix-sept ans plus tard, elle se retrouva veuve avec trois enfants. Le temps passa, jusqu'au jour où un notaire, celui-là même qui avait rédigé le contrat de mariage, fit savoir par l'intermédiaire d'un ami qu'il serait prêt à épouser Eugénie.

— Quand j'étais jeune, belle et pauvre, répondit-elle, il ne m'a pas demandée en mariage. Maintenant que je suis vieille, laide et riche, il me demande, eh bien non.

Les mariages d'autrefois n'ont rien à voir avec ceux d'aujourd'hui. J'en ai trouvé la preuve en lisant quatre cahiers d'écolier dans lesquels Cécile, une grand-mère parisienne, a raconté ses souvenirs de jeunesse. Elle m'a gentiment permis de recopier quelques passages. D'abord les fiançailles de ses parents qui, en 1891, avaient respectivement vingt-cinq et vingt-six ans.

Papa venait dîner chaque soir. Après le repas, on passait au salon. Grand-mère et les tantes cousaient autour d'une table. Les fiancés étaient assis un peu en retrait sur un canapé. Grand-père s'installait à côté d'eux dans un fauteuil. Quand il lui arrivait de s'assoupir, il se réveillait brusquement et disait : « Parlez plus fort, mes enfants, je ne vous entends pas. » Papa se hasardait de temps en temps à prendre la main de maman. Quel émoi!

Dans son manuel de savoir-vivre (1), publié en 1883, Mlle Ermance Dufaux de la Jonchère précise que les fiancés *peuvent s'asseoir l'un près de l'autre, mais jamais sur le même meuble*, et qu'*ils ne doivent s'appeler entre eux que Monsieur et Mademoiselle. Les sentiments sincères sont peu démonstratifs*, explique la bonne demoiselle. En foi de quoi, *le baiser sur le front de la fiancée est autorisé, mais la simple poignée de main de bienvenue et d'adieu sont de meilleur ton.*

(1) *Le Savoir-vivre dans la vie ordinaire et dans les cérémonies civiles et religieuses* (Garnier frères).

Les choses évoluèrent plus lentement qu'on ne l'imagine. Il suffit, pour s'en rendre compte, de revenir aux souvenirs de Cécile. En 1922, elle avait vingt ans. C'était une jeune fille de bonne famille, jolie, pleine de gaieté, mais sans la moindre dot, ce qui décourageait bien des candidats.

Charles avait vingt-sept ans et il se moquait de l'argent. Cécile et ses sœurs l'avaient rencontré deux fois, en famille, autour d'une tasse de thé.

Le soir de la deuxième rencontre, le père de Charles demanda à son fils :

— Te plaisent-elles?

— Oui.

— Veux-tu donner suite?

— Oui.

— Laquelle?

— La plus jeune, pardi.

— Veux-tu que j'écrive?

— Oui.

Le père de Cécile était prêt à accepter, *mais je n'ai pas marché*, raconte-t-elle, *et j'ai demandé à voir le garçon en particulier. Papa était affolé. Quelle audace, mon Dieu!*

Le samedi suivant, visite de Charles et de sa famille. *Après le goûter, papa m'a dit d'un air solennel : « Ma fille, je n'ai qu'une parole. Tu peux aller au salon. » Je triomphais.*

La porte refermée, Charles et Cécile furent vite d'accord et, raconte Cécile, *nous avons joué du piano à quatre mains. C'était très rigolo. Pour ça, comme pour le reste, Charles était consciencieux et appliqué. Je m'amusais bien...*

J'ai fait mariner papa quinze jours, alors que Charles avait ma parole. Quand je lui ai dit que j'acceptais, il s'est précipité au bureau de Charles, pour lui annoncer la bonne nouvelle. Ils ont chanté l'Alleluia en duo.

Les fiançailles durèrent deux mois et demi, pendant lesquels Cécile et Charles continuèrent à braver certains principes chers à Mlle Ermance Dufaux de la Jonchère.

Papa prenait des rages : « Dire que ma fille est seule dans le salon avec ce garçon. C'est inouï! » Mais de quoi avait-il peur? Qu'il m'embrasse? La belle affaire. Il faut bien un petit avant-goût et, s'il ne l'avait pas fait, je l'aurais trouvé idiot.

Comme c'était défendu de sortir seuls, nous trichions. Une tricherie pas bien grave qui consistait à se retrouver dans le métro et à descendre à une station différente pour ne pas arriver ensemble.

Un jour, c'est la rencontre d'un ami de la famille : *Il me savait fiancée, mais comme je n'étais pas chaperonnée, il a fait celui qui ne me voyait pas.*

Cécile et Charles furent heureux et eurent beaucoup d'enfants, parmi lesquels Babette, une demoiselle qui savait très bien ce qu'elle voulait... ou, en tout cas, croyait le savoir :

— Je n'épouserai jamais un médecin, jamais un ami de mes frères et encore moins celui-là, avait-elle dit à sa mère.

Quinze jours plus tard, elle revenait des sports d'hiver en compagnie de « celui-là » qui n'avait même pas ôté sa tenue de neige, tant il était pressé de faire sa demande.

— Avec à la main de gros gants de ski jaunes, m'a raconté Cécile.

C'était en 1957. Aujourd'hui, on n'en est pas encore tout à fait à ce qu'imaginait Cathy (dix ans), dans un roman intitulé *Quatre jeunes filles dans un pré* :

Pendant la demande en mariage, ils s'aimaient à qui mieux mieux.

— Moi, m'a raconté Joëlle, j'ai demandé la main de mon fiancé à ses parents.

Beaucoup plus fréquent, le cas des demoiselles annonçant elles-mêmes leurs projets à papa et maman.

— Eh bien, invite-le à dîner, que nous fassions sa connaissance.

Reste à espérer que le jeune homme n'imitera pas ce Bordelais qui, lors du premier repas chez ses futurs beaux-parents, joua au minus habens, tremblotant des mains et parlant avec une horrible voix de fausset.

— C'est un bon truc, devait-il expliquer. Ensuite, mes beaux-parents ont été tellement soulagés qu'ils n'ont plus songé à me trouver le moindre défaut.

— Moi, disait un petit garçon de huit ans, j'ai plusieurs fiancées.

— Une, c'est suffisant.

— Oui, mais les autres sont des roues de secours.

Les fiançailles restent un temps heureux, utile aussi, car on apprend à mieux se connaître. Jusqu'où doit aller cette connaissance?

Un musicien faisait la cour à une demoiselle qui se défendait mollement :

— Je suis fiancée, vous ne devez pas!

Le musicien poussa si bien ses avantages que la demoiselle finit par capituler :

— D'accord, mais juste ce que me fait mon fiancé.

Et le musicien s'aperçut que « juste ce que faisait le fiancé », c'était juste ce qu'il voulait faire.

Aujourd'hui, certains parents admettent que les fiançailles soient une sorte de mariage à l'essai. Attitude d'autant plus répandue que la Pilule

offre maintenant une garantie contre un bébé
éventuel.

Le temps n'est plus où un avocat s'écriait,
c'était en 1959 :

— Elle est sur le penchant du vice. Et pour que
cette enfant se redresse, il faut la marier au
galop.

Une amie m'a confié que sa fille en était à son
troisième fiancé :

— Je regrette de n'avoir pas eu les mêmes pos-
sibilités qu'elle. J'aurais fait l'économie d'un premier mariage complètement idiot.

Les jeunes filles qui tiennent à des pures fiançailles n'agissent pas seulement au nom de principes moraux ou religieux. Certaines pensent que
leur fiancé ne les épousera qu'à condition de
savoir dire non jusqu'au bout.

Car on trouve encore des jeunes gens pour qui
la virginité de leur promise est un label indispensable. Peut-être parce qu'ils craignent la compa-
raison avec leurs prédécesseurs ou parce qu'ils
croient encore au vieil adage « qui a couru
courra ».

— Ils sont stupides. Je me suis mariée vierge
et, si j'ai trompé une fois mon mari, c'est par
curiosité. Une curiosité déçue d'ailleurs et que
j'aurais mieux fait de satisfaire avant.

Que d'imbéciles ont préféré celle qui leur a dit
« non » à la gentille amoureuse qui s'est donnée
franchement à eux! Si par la suite Mlle Non se
révèle tout à fait froide, le fanatique de la virginité n'aura qu'à se mordre les doigts et le reste.
Ce qui ne veut pas dire, il s'en faut, que toutes
celles qui disent « non » soient des glaçons :

— J'avais décidé d'arriver vierge au mariage.
Eh bien, j'ai eu du mérite de tenir jusqu'à la fin.

Vierge ou pas, la meilleure chance de bonheur
reste l'amour. Sa sincérité, sa force auront tou-

jours plus d'importance que la couleur de la robe de la mariée... ou que le prix de la bague de fiançailles.

Parfois, on offre un bijou de famille. C'était le cas d'un employé de banque qui, en 1946, m'a raconté avoir été fiancé une demi-douzaine de fois :

— A chaque rupture, je récupérais ma bague. Jusqu'au jour où je me suis fiancé avec une Grecque. Elle a gardé la bague. « En souvenir de toi », m'a-t-elle dit.

> *Un garçon venait de se pendre,*
> *Dans la forêt de Saint-Germain,*
> *Pour une fillette au cœur tendre*
> *Dont on lui refusait la main.*

On chantait la célèbre chanson de Mac Nab devant un petit André de six ans :

— Moi, dit-il, je ne suis pas fou comme lui, j'en prendrai une autre.

Vers 1910, une demoiselle dont les fiançailles avec un officier étaient rompues confia à une amie :

— Ne t'inquiète pas, je n'ai pas laissé mon cœur accroché à sa moustache.

Il arrive qu'un amour chasse l'autre. Élisabeth avait dix-neuf ans, elle recevait les lettres de son amoureux à la poste restante. Elle s'y rendait souvent et voyait souvent le même employé, jusqu'au jour où il proposa :

— Vous ne voulez pas faire un brin de promenade avec moi?

Les semaines passèrent. Élisabeth recevait de moins en moins de lettres à la poste restante, mais elle voyait de plus en plus souvent le postier et, pour finir, c'est lui qu'elle épousa.

*
**

Michel (cinq ans) disait à son institutrice :

— Madame, quand je serai grand, je me marierai avec vous et je serai chef de gare.

— Pourquoi chef de gare?

— Pour avoir une belle casquette afin de vous
plaire.

Tout aussi décidé à se marier, un petit Marocain de dix ans expliquait à une voisine belge du
même âge :

— Je donnerai une vache à ton père et ainsi tu
seras à moi.

En Afrique, c'est le garçon qui verse la dot.
Bien que la coutume commence à se perdre dans
certaines régions, elle est plus sage que celle des
Européens dotant richement la demoiselle à
marier.

Ceux-ci ne sont pas toujours satisfaits d'apprendre que leur fille « fréquente » :

— Il n'a pas de situation!

— Tu n'y penses pas, un étranger!

Et bien d'autres raisons pour lesquelles les
parents disent non, du moins jusqu'à ce que la
demoiselle ait atteint sa majorité. Il arrive alors
que l'on fasse contre mauvaise fortune bon cœur :

— C'est que, dit le père, j'avais juré devant tout
le village qu'il n'épouserait pas ma fille.

— Tu ne vas pas les laisser se marier comme
des chiens, proteste la mère.

Pour finir, tout le village se retrouve au
mariage, sans que personne songe à reprocher au
père d'être revenu sur sa décision. Après quoi, on
se rend compte que le va-nu-pieds ne se
débrouille pas si mal dans la vie, qu'il est un bon
mari.

Parfois, l'opposition familiale est tout à fait
justifiée :

— J'en ai voulu terriblement à ma mère et, un
an après, je me suis félicitée qu'elle se soit oppo-
sée à mon mariage.

Il arrive que, pour forcer la main des parents, on mette un enfant en chantier, sans trop se soucier de la façon dont on l'élèvera. Ce n'est pas toujours un tort.

— Je regrette le temps où nous étions fauchés, m'a dit une jeune femme. Depuis que mon mari a réussi, je ne le vois presque plus.

Et celui qui dote richement sa fille est-il certain que son futur gendre soit tout à fait désintéressé? Heureusement, l'inverse existe, comme le disait un personnage de Balzac : *On a vu des rois épousseter des bergères.*

Sylvie avait été invitée au mariage de sa tante. Montrant sa robe de velours blanc, elle expliqua :

— Tu vois, j'ai mis ma robe douce. Faut que je sois belle, parce que je suis demoiselle de bonheur.

Tandis qu'une autre Sylvie demandait :

— Dis, maman, quand est-ce que je me marie, moi aussi, avec une serviette sur la tête et un hochet à la main?

— Le mariage de mes parents, m'a raconté Léopoldine, a eu lieu pendant la guerre, près de Saumur. C'était l'époque des restrictions. Mon grand-père avait bien trouvé deux paires de souliers blancs, mais les uns auraient convenu à une naine et les autres à une géante.

La mariée n'avait plus qu'une solution : passer à la gouache des souliers sport blancs et bordeaux. Seulement, il y avait de la rosée et la gouache ne survécut pas à quelques mètres dans l'herbe.

La rosée fut aussi responsable du rétrécissement du voile qui devint si petit que les demoiselles, désireuses de se marier dans l'année, eurent bien du mal à en obtenir une bribe.

— Pour tout vous dire, conclut Léopoldine, ma mère avait un soutien-gorge et une culotte de soie naturelle blanche, l'un et l'autre taillés dans une immense chemise d'homme, cadeau d'une cousine qui l'avait trouvée dans le métro.

En période de paix, les époux ont intérêt à déposer une liste dans un magasin spécialisé. Sinon, ils risquent d'hériter de quelques-uns de ces cadeaux tournants que l'on se repasse de mariage en mariage.

Une dame voulait offrir douze couteaux. Elle trouva ce qu'elle cherchait dans un petit bazar.

— Il y a deux modèles, dit la marchande. Ceux-ci ont la vérole, ces autres pas.

Qui dit mariage dit aussi festivités :

— Lorsque je pense à tout l'argent que mon père a dépensé pour notre mariage! Il nous aurait été plus utile pour nous installer.

— Peut-être, m'a dit un cousin, mais alors les seules occasions de réunions familiales seraient les enterrements. Il est plus agréable de se retrouver autour d'une jolie mariée qu'autour d'un cercueil.

Trop de gens ne vont aux enterrements que pour compter les larmes des proches du défunt. Et ne parlons pas des morts célèbres, pour lesquels la cérémonie devient souvent une affligeante kermesse.

Un enterrement ne doit pas obligatoirement être triste. Certes, la mort d'un être jeune est une tragédie, mais lorsqu'une vie s'achève à une échéance normale, pourquoi aller au-delà d'une émotion de circonstance? D'autant qu'il y a ensuite le plaisir des parlotes familiales et on comprend qu'une dame, venue aux obsèques d'une vague cousine, ait pu dire en montrant son chien :

— Mais oui, il est aussi de la petite fête.

Tandis qu'un enfant de chœur constatait :

— Un mariage, c'est tout comme un enterrement, à part le devant.

***

Claire (sept ans) a été invitée au mariage de sa cousine, à Brétigny-sur-Orge. Le futur n'est pas là et la mariée s'impatiente.

— Ne t'inquiète pas, dit Claire. Il est au cimetière, il enterre sa vie de garçon.

En Dordogne, c'est la mariée qui n'arrive pas. Enfin la voilà! Montrant ses rejetons (elle en avait quatre ou cinq), elle explique :

— Les autres n'en ont pas tant à préparer!

Toujours en Dordogne, deux jeunes mariés se présentent avec plus d'une heure de retard :

— Ben, expliquèrent-ils, on a été ramasser des champignons.

Je me rappelle encore le premier mariage auquel j'ai assisté. C'était dans ma Double natale (1) et je devais avoir quatre ans et demi. Mes souvenirs étant très imprécis, j'ai fait appel à mes cousines Todie et Agneau qui avaient alors huit et dix ans.

— Quand nous sommes arrivés, m'a raconté Agneau, il était près de dix heures et les cuisinières couraient après les poulets qui devaient figurer au repas. Soudain, on vit surgir une voisine furieuse, parce que dans leur zèle les cuisinières avaient ajouté quelques-uns de ses poulets au menu.

La mariée qui s'appelait Georgette n'était pas prête. On attendait la couturière avec la robe. Mon père proposa d'aller la chercher dans sa

_____

(1) La Double est une zone forestière, au sud-ouest de la Dordogne.

vieille Ford, cahotante et haute sur pattes. Proposition téméraire, car la couturière était si grosse qu'elle cassa un des ressorts de la Ford.

Enfin la mariée apparut, bien jolie dans sa robe blanche. Le cortège put se former et prendre la route de Saint-Michel-Léparon.

— Je me souviens, m'a dit Agneau, d'un type qui jouait du cornet à pistons et il jouait faux, mais faux!

Après les cérémonies d'usage à la mairie et à l'église, la noce fit le tour des cafés. Dans chacun d'eux, on but et on dansa la pastourelle. Finalement, tout le monde se retrouva dans la grange dont les murs étaient recouverts de draps piqués de fleurs. Le repas allait pouvoir commencer.

— C'est simple, m'a dit Todie, au moment où nous finissions le vermicelle, on a allumé les lampes à pétrole.

J'ai gardé un souvenir plus précis d'un autre mariage, celui-ci célébré au Brégout, à l'endroit même de ma naissance. Je revois le père du marié chantant l'histoire d'un pauvre vagabond, puis l'assistance reprenant en chœur le classique :

Mariez-vous donc, mariez-vous donc,
C'est si gentil, c'est si bon.
Pourquoi, pourquoi rester garçon?
Allons! Mariez-vous donc! (1)

Les chansons n'étaient pas toutes gentilles et les plaisanteries n'étaient pas toutes pleines de finesse, mais la bonne humeur était générale. Le garçon d'honneur disparut naturellement sous la table, pour s'emparer d'une jarretière que la mariée abandonna avec juste ce qu'il faut de cris d'effroi et de rires chatouillés.

---

(1) Cette chanson est de Vincent Scotto, paroles d'Emile Lartigue (© Editions Diodet, 1910). Je me rappelle avoir évoqué les mariages périgourdins avec le bon Lartigue, quand il était comptable à la revue *Constellation* où j'ai été moi-même journaliste pendant dix ans.

En Essonne et dans bien d'autres régions, la jarretière est mise en vente, aux enchères américaines, ce qui permet de constituer un petit
magot pour les jeunes époux. En revanche, les
habitants de l'Essonne ignorent la coutume de la
tête du poulet. Au Brégout, on n'oublia pas de la
planter au bout d'une fourchette et de lui faire
faire le tour de la table, prétexte à embrasser son
voisin ou sa voisine.

Je ne me rappelle pas si les cuisinières pensè-
rent à placer un balai en travers de la porte, au
moment où la mariée arrivait. Quand celle-ci
ramasse le balai et le range, on applaudit, car elle
a donné la preuve qu'elle sera ordonnée. Sinon...
Mais la mère qui connaît les usages a pris garde
de prévenir sa fille et généralement tout se passe
bien.

— J'ai assisté récemment à un mariage en Normandie, m'a raconté une Parisienne, j'ai valsé
comme je n'ai jamais l'occasion de valser, sauf le
quatorze juillet avec les maçons italiens.

Que ce soit à la campagne ou à la ville, la
mariée ouvre le bal et chacun tient à danser avec
elle. Jusqu'au moment où l'on s'aperçoit que les
nouveaux époux ont disparu.

— Où sont-ils passés?
— Faut les trouver et leur porter le tourin.

Le tourin est une soupe à l'oignon qui fait partie des rites du Périgord. Si l'on trouve les
mariés, ils devront manger le tourin au milieu
des plaisanteries et des rires goguenards.

Cette coutume remonte au Moyen Age et se pratique un peu dans toute la France. Qu'il s'agisse
d'une soupe à l'oignon ou à l'ail, ou bien d'un vin
chaud, on ne lésine pas sur les épices.

— Ça va vous redonner des forces, explique-
t-on finement aux mariés.

Comble de finesse, la soupière peut être remplacée par un pot de chambre contenant du boudin et du vin blanc, ou encore de la crème au chocolat et du champagne, plus parfois, ultime touche de raffinement, du papier de soie.

De jeunes mariés sarthois avaient eu droit à une superbe gratinée. Hélas! un geste malencontreux renversa la soupière dans le lit et les pauvres mariés terminèrent leur nuit de noces dans une clinique du Mans.

— Pour corser l'histoire, m'a avoué un toubib, j'ai raconté que le lendemain il y avait de la soupe à l'oignon au menu de la clinique, mais ce n'est pas vrai.

*

Une petite Annie avait assisté à un grand mariage, dans l'église de la Madeleine, à Paris. Quelques jours plus tard, au zoo, elle voit un paon blanc.

— Regarde, maman, dit-elle, la cocotte en robe de mariée.

Isabelle s'était trouvée devant la mairie, au moment de la sortie d'un mariage. De retour à la maison, elle raconte la chose et maman demande :

— La mariée était jolie?

— Oh! oui.

— Et le marié?

— Je ne crois pas qu'elle avait encore choisi. J'ai vu beaucoup de messieurs défiler devant elle et lui serrer la main.

Agnès avait définitivement choisi Bernard. Tout commença quelque part dans la Vienne où ils remplaçaient, l'un le médecin, l'autre le pharmacien.

— Et, m'a dit ma tante Marthe qui me racontait l'histoire, l'étincelle a jailli.

Un beau jour de 1973, je me suis retrouvé à

Sorges, un bourg proche de Périgueux, où habite mon cousin Robert, le père d'Agnès.

— Une robe de mariée, disait Christine (cinq ans), c'est une robe que l'on met à moitié sur sa tête.

Agnès était bien jolie dans la sienne, blanche, très romantique et ornée d'une ceinture de marguerites multicolores. Tandis que Bernard portait avec élégance une jaquette grise et un chapeau haut de forme.

— Pourquoi un tel déguisement? me chuchota quelqu'un. Par cette chaleur, il serait mieux avec un complet d'été.

En jaquette aussi le père de la mariée, mais il ne dit pas comme Victor Hugo quand il donna Léopoldine à Charles Vacquerie :

Aime celui qui t'aime et sois heureuse en lui.
Adieu! sois son trésor, ô toi qui fus le nôtre!

La partie littéraire de la cérémonie était réservée au maire de Sorges, un éminent professeur de la faculté de Droit de Paris.

— Vous avez beaucoup de chance d'épouser une pharmacienne, dit-il à Bernard. Vous auriez pu choisir une femme qui, comme vous, exerce la médecine. Or nous savons tous que quand Hippocrate dit non, Galien dit oui.

Il est très rare qu'un des époux change d'avis au dernier instant. A l'église Saint-Joseph de Dijon, au moment où le prêtre posait la question rituelle, un des témoins donna un coup de coude à la mariée :

— Dis non.

L'officiant, un jeune vicaire, s'affola :

— Voyons, laissez-la répondre.

— Dis non, reprit le témoin.

Finalement, ce fut oui quand même et, à la fin de la cérémonie, le témoin rejoignit le prêtre à la sacristie :

— C'était pour rigoler! Tenez, je suis dans la boucherie. Voici ma carte. Passez donc chercher un bifteck.

Ma tante Vévé m'a raconté une histoire qui remonte à 1890 et dont les protagonistes étaient la Mamette, une Aveyronnaise de quatre-vingt-dix ans, et son fils, un vert jeune homme de soixante-dix ans. Il voulait se marier et la Mamette refusait son consentement. D'où longs palabres, jusqu'à ce qu'une des petites-filles parvienne à convaincre la terrible grand-mère.

— Bon, je donne mon consentement, mais, pour lui faire honte, j'irai au mariage avec ma robe à l'envers.

A Sorges, personne n'avait mis sa robe à l'envers. Tout le monde était enchanté du mariage. Il y eut juste un instant d'étonnement, quand on apprit qu'Agnès et Bernard, l'un et l'autre enfant de notaire, se mariaient sans contrat.

Est-ce la meilleure formule? Ce n'est pas à moi d'en décider. Il semble seulement que la communauté ait ses limites, comme le prouve l'histoire d'une dame qui passa devant le tribunal de Pithiviers, pour défaut de permis de conduire.

— Je ne comprends pas pourquoi vous me poursuivez, dit-elle au président. Mon mari a le code, moi la conduite et nous sommes mariés sous le régime de la communauté.

— Oui, dit le président en souriant, mais ce jour-là votre mari n'était pas avec vous.

— Alors, je comprends.

A une messe de mariage, Anne (quatre ans) remarque le récipient dans lequel on met le goupillon. Un peu plus tard, elle dit à sa mère :

— J'avais bien envie d'un glaçon, mais j'ai pas osé en prendre.

— Si l'on donnait davantage de solennité à la cérémonie civile, m'a affirmé un prêtre de la Côte-d'Or, ceux qui ne sont pas croyants éprouveraient moins le besoin de passer par l'église. Seulement, il faut bien amortir la robe!

Simple cérémonie rituelle pour certains, le mariage à l'église reste un sacrement profondément ressenti par les vrais chrétiens.

— Le Bon Dieu est heureux de vous accueillir comme ses amis, dit le curé de Sorges à Agnès et Bernard.

Un peu plus tard, il parla des devoirs des conjoints l'un envers l'autre, mais il ne précisa pas comme ce prêtre de Bordeaux, en 1947 :

— Madame, même les coups de balai, vous devez les donner avec amour.

Un ami corse m'a raconté que, dans son île natale, lorsque la mariée veut montrer qu'elle sera une épouse fidèle et soumise, elle glisse un pan de sa robe sous le genou du marié. Cette coutume est ignorée en Dordogne où la mariée, qui tient à rester maîtresse chez elle, s'arrange pour qu'au moment de l'échange des alliances la sienne ne dépasse pas la deuxième jointure. Elle achève de la glisser elle-même et les assistants se chuchotent :

— Vous avez vu, c'est elle qui commandera.

A l'instar de tant d'autres, cette coutume se perd un peu et je n'ai pas pu voir si Agnès avait fini de mettre elle-même son alliance.

En présence de Dieu qui est source de votre amour...

Dans l'église de Sorges, les paroles sacrées alternaient avec les mots simples, et les chants s'élevaient sous une voûte romane qui méritait quelques instants d'admiration.

Un dernier chant, bien connu des Périgourdins :

O Vierge Marie, gardez leur amour,
Tout au long de la vie, toujours, toujours.

Un ultime couplet que le bon curé crut devoir commenter :

Le soir, quand les fatigues alourdiront leur corps,
Gardez leurs cœurs prodigues d'amour pur et d'efforts.

Maintenant, on pouvait féliciter les mariés. Occasion pour moi de citer la phrase d'Alphonse Allais :

— Je ne partage pas votre bonheur, je vous le laisse tout entier.

A la sortie de l'église, personne ne lança de riz. Ça ne se fait pas en Dordogne. Il n'y eut pas non plus de voûte d'épées, les mariés n'étaient pas champions d'escrime, et personne ne songea à remplacer les épées par des seringues ou des clystères.

En revanche, on n'avait pas oublié la « jonchée ». Faite de fleurs et de feuilles, elle indique le chemin que doit suivre le cortège. Un court chemin dans le cas présent, puisque la maison de Robert était proche de l'église.

Dans le parc, un copieux buffet attendait les invités. Naturellement, j'expliquai à tout un chacun que j'écrivais un livre sur l'amour et je recueillis quelques perles.

On me raconta également que, dans une auberge d'un village voisin, le patron avait fixé une ficelle aux ressorts du lit de sa meilleure chambre. Accueillait-il des nouveaux mariés, il conviait aussitôt quelques amis à voir danser le bouchon. La ficelle, accrochée aux ressorts du lit, passant par un trou du plancher, il suffisait de mettre un bouchon au bout pour provoquer les rires et les plaisanteries que l'on imagine.

*

— La cérémonie à l'église, m'a dit un prêtre, comporte quelques détails pratiques dont je parle toujours aux futurs mariés.

Un quinquagénaire, un peu emprunté et qui n'avait eu droit à aucune indication de ce genre, s'attira deux ou trois remarques de l'officiant :

— Comment voulez-vous que je sache ce qu'il faut faire? s'écria-t-il. C'est la première fois que je me marie!

S'il s'agit aussi d'une première, la nuit de noces risque de poser d'autres problèmes. Ma mère m'a raconté qu'une de ses amies se maria à Cholet, il y a une soixantaine d'années. Le soir, elle resta coucher chez elle, tandis que l'on expédiait à l'hôtel le mari... « très marri », précise ma mère.

Après tout, n'est-ce pas une meilleure formule que de placer la première nuit d'amour d'un couple à la fin d'une journée harassante où l'on a bu, festoyé, dansé? Rendu maladroit ou brutal par l'alcool et la fatigue, le jeune marié risque de donner à sa femme une piètre idée de l'acte sexuel.

— Ma fille, affirmait une brave dame, dans le mariage, il y a de bons moments et de fichus quarts d'heure.

Des explications intelligentes peuvent éviter certains drames. Certes, on n'est plus en 1920 où Marguerite était partie, sans avoir droit à la moindre information ni de sa mère ni de sa sœur aînée. Elle revint bouleversée, persuadée d'avoir épousé un fou et un sadique.

On aurait pu au moins lui dire, comme la mère d'Amélie, en 1891 :

— Tu peux avoir confiance en ton mari. Tout

ce qu'il te dira et te fera sera bien et normal, je puis te l'assurer.

Trente ans plus tard, Amélie fut interrogée par une de ses filles, à la veille de se marier :

— Tu n'as rien à me dire, maman?

— Oh! tu en sais sûrement plus que moi à ce sujet.

La demoiselle, point si savante que ça, alla interroger sa sœur aînée :

— Dis-moi au moins une chose : est-ce que les hommes ont leurs règles?

La nuit de noces n'est pas toujours une vraie nuit de noces, soit parce que madame n'en est pas à son premier partenaire, soit parce que les mariés ont pris de l'avance sur l'horaire.

Tel était le cas de Yannick qui, le soir de son mariage, voulut d'abord ranger ses cadeaux. Pour cela, elle essaya de déplacer une armoire normande et y gagna un beau tour de reins. Quand, le lendemain, elle sortit pliée en deux, personne ne voulut croire que c'était dû à une armoire.

Si la nuit de noces est une « première », monsieur ne doit pas oublier qu'au lieu de forcer une porte, il vaut mieux frapper doucement à l'huis jusqu'à ce qu'il s'entrouvre. La discrétion a cependant ses limites. Au siècle dernier, un jeune marié avait décidé de ne rien faire les trois premières nuits. Pas du tout reconnaissante, l'épouse en conçut au contraire un si vif dépit qu'elle trompa son trop délicat mari, avant même la fin du troisième jour.

Victor Hugo aussi fut trompé qui pourtant se vantait d'une nuit de noces en neuf rounds. Il était vierge, Adèle aussi. Quand elle le cocufia, ce fut avec Sainte-Beuve, le moins séduisant et le plus timide des hommes.

— Mon mari a été bien étonné, lorsque, le soir de notre mariage, il a découvert que j'étais vierge.

Je me souviens encore de cette confidence d'une jeune femme qui fut un pilier des nuits de Saint-Germain-des-Prés, aux alentours de 1950.

Elle n'était tout de même pas effarouchée au point de faire comme la fille d'un notaire du Nord qui, vers 1880, passa sa nuit de noces en haut d'une armoire, d'où le malheureux époux essayait en vain de la faire descendre.

Mariée aussi vers 1880, une Lorraine racontait soixante ans plus tard :

— Quand j'ai vu l' bazâr, je m'en suis sauvée au bout de la chambre et il a couru derrière moi.

Après s'être poursuivis autour de la table, les mariés finirent par convenir d'un cessez-le-feu. Mais une fois dans le lit :

— Il a voulu faire son devoir de mari et j' me suis si bien débattue qu'on est tombés tous les deux dans la ruelle.

Certaines demoiselles sont inquiètes à l'idée de débuter avec un partenaire inexpérimenté. D'autres, en revanche, sont parfaitement sereines :

— Apprendre ensemble, c'est merveilleux si l'on a un partenaire qui vous aime.

— A condition qu'il soit un peu doué.

— Bah! on a tout le temps de se découvrir et de s'améliorer.

Le tort de l'homme est de vouloir se faire passer pour parfait, alors qu'une femme peut aimer aussi les défauts de celui qu'elle a choisi.

— Jusqu'à un certain point. Moi, ma première nuit avec mon fiancé avait été complètement ratée, pour ne pas dire inexistante. Le lendemain matin, il est parti travailler et j'ai lu dans *Elle* une interview de Françoise Sagan qui disait : « Je choisis mes hommes comme mes voitures. » Alors, je me suis dit que j'étais idiote de me contenter d'une Deux-Chevaux et j'ai rompu.

— Une amie avait eu un amant avant son mariage. Don Juan expérimenté, il ne lui a pas apporté le plaisir et elle l'a découvert dans les bras d'un fiancé un peu maladroit, mais qu'elle aimait profondément.

Tant il est vrai que le cher petit Cupidon reste toujours le meilleur gage de bonheur. Sous réserve quand même d'avoir un minimum de connaissances théoriques.

Vers 1930, un jeune Landais particulièrement demeuré épousa une Landaise tout à fait niaise. Ne sachant comment procéder, il demanda conseil à des copains.

— T'en fais pas, on va te montrer.

Ils furent trois ou quatre, le soir des noces, à aider au coucher de la mariée, laquelle se retrouva bientôt avec un sac sur la tête. Chacun à leur tour, les copains firent leur démonstration et le marié les remercia chaudement.

Puis, pendant des années, jusqu'à ce qu'elle s'en plaigne à un médecin de Bordeaux, la malheureuse se retrouva avec un sac sur la tête, chaque fois que son benêt de mari décidait d'accomplir le devoir conjugal.

On peut avoir fait des études universitaires et être tout aussi ignorant du mode d'emploi. Ce fut le cas d'un couple qui, vers 1950, rendit visite à un médecin parisien. Après six mois de mariage, « le ciel n'avait pas béni leur union ».

A l'examen, madame se révéla vierge et le toubib se lança dans des explications.

— Docteur, dit le mari brusquement inspiré, c'est donc cela : il faut bouger.

Catherine m'a raconté que, pour son dix-septième anniversaire, elle avait demandé un manteau de daim à son père. Celui-ci, un Corse, très à cheval sur les principes, répondit :

— Je suis d'accord pour te faire ce cadeau, à condition que tu le mérites. Je trouve que tu sors beaucoup, alors je veux savoir. Demain, tu iras chez le gynécologue et tu auras le manteau si tu es encore en l'état de jeune fille.

Chez les Grecs et les Latins, Hymen ou Hyménée, fils d'Apollon et Calliope, était le dieu du mariage. On le représentait couronné de fleurs et tenant un flambeau à la main.

L'hymen est parfois suffisamment mince et élastique pour permettre des rapports sexuels sans être rompu. Il arrive même qu'il subsiste jusqu'à la venue au monde du premier enfant. Ce fut le cas pour ma belle-sœur, Françoise d'Eaubonne, mariée trois semaines et qui se vante d'avoir été dépucelée par la naissance de sa fille. On comprend qu'elle soit devenue une militante active du Mouvement de libération de la femme, du Front féministe et de la Ligue du droit des femmes.

En général, l'hymen est déchiré lors du premier rapport sexuel. D'où une légère douleur et un petit écoulement de sang, grâce auquel la virginité peut être démontrée.

Raymond s'est marié en 1957, avec une demoiselle d'Afrique du Nord :

— Ma belle-mère m'a dit : « Je vous ai mis un petit drap dans la valise. » Et, comme je la regardais sans comprendre, elle expliqua : « C'est pour les honneurs de ma fille. »

Dans certains pays, on expose encore la chemise ou les draps tachés de sang, mais il s'agit quelquefois de sang de pigeon. Car, de tout temps, on a essayé de redonner une virginité aux demoiselles qui l'avaient perdue depuis belle lurette et certains « réparateurs » en ont tiré de substantiels bénéfices.

Un médecin de la région parisienne fut appelé un jour au chevet d'une jeune et jolie demoiselle.

— Elle saigne, dit la mère.

Perplexe, le toubib envoya la mère chercher une cuillère dont il n'avait nul besoin. Il en profita pour interroger la jeune fille sur ses antécédents « câlins ». Rien!

Le saignement se prolongeant, la demoiselle se retrouva en clinique. Ce n'est que sur la table d'intervention qu'elle se décida à admettre que, deux jours avant, elle avait fait l'amour avec son fiancé et que depuis elle saignait.

Une simple hémorragie de défloration. Le médecin respira et servit une fable quelconque à la mère. Un an après, il rencontra cette dernière qui lui dit :

— Vous vous souvenez, docteur, de l'hémorragie de ma fille?

— Très bien.

— Maintenant, je sais d'où ça vient. Elle avait fait un effort auquel elle n'était pas habituée.

— Ah!

— Oui, la veille, elle nous avait aidés à déménager une armoire.

Huit ans ont passé et le médecin revoit parfois sa jeune cliente :

— Mère de quatre enfants, raconte-t-il, elle ne rechigne pas devant l'effort et nous rions encore de cette histoire.

— Non, ma fille, j'espère que tu vas te marier en blanc!

Souvent, pour faire plaisir à papa et à maman, on accepte une robe blanche.

— Mais tout de même pas les fleurs d'oranger, m'a dit en souriant une jeune femme.

Maman venait d'expliquer à Marie-Pierre (cinq ans) ce qu'était le service militaire.

— J'étais née lorsque papa était militaire?

— Non, maman ne connaissait pas encore papa.

— Alors, quand tu l'as vu, tu lui as dit : « Je suis enceinte. » Lui t'a dit : « Je suis militaire. » Et vous vous êtes mariés.

Certaines demoiselles sont réellement enceintes, lorsqu'elles se marient. La robe blanche devient alors un peu difficile à porter. C'était le cas pour une Périgourdine qui allait épouser son voisin, un veuf qu'elle avait su consoler.

Seul le brave curé ne s'aperçut de rien :

— Vous n'êtes pas, s'écria-t-il, de ces jeunes évaporés recherchant dans le mariage les ivresses de l'amour.

Les demoiselles qui oublient leur vertu dans le lit d'un monsieur ne sont pas toujours épousées par la suite. Mais l'on peut se demander quelle est la plus pure de celle qui s'est donnée à un homme qu'elle croyait aimer ou de celle qui a tout accordé d'elle, sauf ce fameux hymen dont on a fait le symbole de la virginité.

— Moi, disait récemment une sexagénaire, je compte bien que ma fille se gardera vierge. Pour un homme, c'est la preuve d'un vrai don d'amour.

Il n'empêche qu'avec les progrès de la contraception, on voit de plus en plus de jeunes filles jeter leur bonnet par-dessus les moulins.

— Je suis certaine, m'a dit Brigitte, que notre génération divorcera moins que la précédente.

Sans doute peut-on l'espérer, dans la mesure où un mariage à l'essai permet parfois de découvrir que les apparences sont trompeuses. Tel jeune homme bien élevé en société risque de se révéler un parfait gougnafier dans l'intimité et tel magnifique gaillard sera peut-être un piètre amant :

— Lorsque je me suis mariée pour la seconde fois, je me suis tout de suite rendu compte qu'il n'y avait aucune entente physique possible. Un simple essai préalable m'aurait évité un divorce.

Les incompatibilités sexuelles sont sans doute importantes, mais quelques séances au lit ne suffisent pas pour découvrir le caractère de son futur. La vie de tous les jours est faite de choses simples, de gentillesse, de bonne humeur. Il y a des tue-l'amour dont on ne se rend pas compte immédiatement.

— On essaye bien une auto, m'a dit le professeur Hurdon, pourquoi pas une femme ou un mari que l'on gardera beaucoup plus longtemps qu'une bagnole? Une loi, appliquée depuis août 1973, a prévu qu'en cas de vente directe l'acheteur avait sept jours pour résilier son contrat. Étendons cela à ceux qui se marient, en leur donnant bien sûr un délai de réflexion plus long.

Dominique (sept ans) avait suivi avec intérêt les cérémonies du mariage de la princesse Margaret. Elle avait ainsi entendu parler de « la lune de miel » des jeunes époux :

— Je me demande, dit-elle, pourquoi il leur faut une lune en miel. Ils pourraient bien avoir la lune à tout le monde.

Cette lune à tout le monde, rien de mieux que de la passer en voyage et de préférence dans un pays ensoleillé. Une jeune femme des Deux-Sèvres racontait :

— A l'hôtel, à Venise, on a commandé le petit déjeuner. Mon mari m'a dit de mettre ma robe de chambre et de revenir dans le lit. Quand le serveur est entré, c'était comme au cinéma.

Jacques n'ayant pu avoir de vacances, Christiane décida de participer avec lui à une tournée qui débutait par Nancy. Voulant bien faire les choses, le nouveau marié téléphona :

— Réservez-moi votre plus belle chambre et mettez-y une gerbe de roses rouges.

— Si vous ne venez pas, monsieur, qui me paiera les fleurs?

— Évidemment, c'est un risque, mais je vous garantis que je viendrai.

Le soir, dans leur chambre, Jacques et Christiane trouvèrent un grand vase, prudemment garni d'une unique rose.

En 1955, un ingénieur avait emmené sa jeune épouse en Sardaigne où il devait visiter une mine. L'hôtelier, les croyant seulement fiancés, prépara deux chambres, situées chacune à un bout d'un couloir. Bien entendu, les jeunes époux n'utilisèrent qu'une chambre.

Le lendemain matin, la femme de ménage s'arrangea pour regarder les papiers d'identité restés sur la table et l'ingénieur arriva au moment où elle criait par la fenêtre à un terrassier travaillant dans la cour :

— Sono sposati (ils sont mariés).

Le terrassier le cria aussitôt à quelqu'un d'autre et, de proche en proche, tout le pays fut bientôt informé et rassuré.

Mon oncle Paul et ma tante Thérèse se sont mariés le 22 juillet 1914. Leur voyage de noces, prévu en Suisse et en Italie, ne fut jamais terminé ou plutôt il continua à Montmorency où ma tante Thérèse se débrouilla pour aller rejoindre son mari mobilisé.

Une femme dans la zone des armées, ce ne fut pas du goût d'un officier de gendarmerie qui arrêta le couple et pondit un rapport commençant ainsi :

J'ai rencontré dans les rues de Montmorency le brigadier Morise, avec dans sa voiture une femme qu'il dit être sienne. A ma question « Que faites-vous ici? » il a répondu : « Nous finissons notre voyage de noces. »

L'histoire se solda par quatre jours de prison que mon oncle passa, la journée à balayer la cour et la nuit... avec sa femme.

Janine et Pierre se sont mariés en janvier 1945 :

— Nous avons opté pour Miramont-de-Guyenne, m'a expliqué Janine, parce que nous connaissions un fermier et qu'à cette époque la grande affaire était de manger.

Il était neuf heures du soir quand Janine et Pierre arrivèrent devant l'hôtel auquel ils avaient écrit. Après une omelette servie dans une cuisine enfumée, les jeunes mariés furent conduits à leur chambre. Des murs dégoulinants d'humidité, un lit couvert de poussière, un pot à eau crasseux et pas le moindre chauffage, il était difficile de rêver pire.

— Nous étions coincés, dans l'impossibilité d'aller chercher ailleurs. Les draps étaient tellement sales et humides qu'il n'était pas question de coucher dedans. Nous avons revêtu tous nos chandails, mis nos manteaux, nos gants et nous nous sommes étendus sur le lit en nous disant : « A demain matin. »

Roger avait demandé à son copain Claude de lui retenir une chambre et Claude réserva une chambre... avec des lits jumeaux.

— Il nous est arrivé mieux, m'ont raconté Alain et Monique.

Au soir de leurs noces, ils avaient débarqué à Bruges sans avoir rien réservé.

— Nous avons fait le tour des hôtels de la ville et la seule chambre que nous ayons trouvée avait six lits.

— Alors?

— Alors, on les a tous essayés.

Il faut cent fois plus d'esprit pour bien faire l'amour que pour commander aux armées.

Ninon de Lenclos.

L'AMOUR A DEUX

— Mon beau-frère pèse près de cent kilos. Quand j'entends ma sœur l'appeler « ma puce », j'ai envie de rire.

Mon chéri, mon amour, mon cœur, mon chou, mon minet, ma poule, mon poussin, mon biquet, mon canard, chaque couple a son expression préférée, parfois un peu ridicule, sauf pour ceux qui l'emploient.

Si l'on en croit la chanson de Charles Trenet, le grand amour rend bête. Peu importe d'être bête si l'on est heureux!

Après les mots tendres, après les baisers picorés, arrive le moment où les amoureux se retrouvent dans un lit ou sur quelque chose qui en tient lieu. L'heure est venue de réinventer les gestes éternels. Et parfois, au creux d'une couche dévastée, on se murmure :

— Tu crois qu'il y en a d'autres qui le font aussi bien que nous?

Jean-Frédéric (sept ans) voulait savoir comment on fait les enfants. Papa explique.

— Ah! dit Jean-Frédéric, ça doit être rigolo de faire des enfants.

Tandis qu'un petit Christophe, à qui l'on avait

donné des explications analogues, éclatait de rire :

— C'est drôlement marrant comme système!

Ce système est affublé du pas très joli nom de coït. Mais le nom importe peu et l'essentiel est de rendre agréable la gymnastique amoureuse. Ce qui n'était pas le cas pour une Niçoise :

— Chaque fois, se plaignait-elle à son dentiste, que j'ai des rapports avec mon mari, je pense à vous, docteur. Il m'énerve autant que votre fraise.

Trop d'époux pèchent par brutalité ou par précipitation. Alors que, bien interprété, l'amour est la plus belle symphonie du monde.

— Moi, disait Jean-Frédéric, je ferai des enfants le samedi et le dimanche, parce que les autres jours j'aurai pas le temps.

L'amour ne se bâcle pas et demande beaucoup d'attention et d'attentions. Il ne faut pas oublier que l'on est deux à satisfaire. Or c'est justement là que réside la difficulté, en même temps que la valeur de l'acte sexuel. Comme dans un repas, chaque détail a son importance : l'ordre des mets, le choix des vins, l'assaisonnement d'une salade, le degré de cuisson d'un rôti.

Il ne faut surtout pas oublier que l'homme est généralement prêt à se mettre à table, alors que la femme n'a pas encore tout l'appétit voulu. D'où la nécessité de préalables qui sont à l'acte sexuel ce que les hors-d'œuvre sont à un repas.

Certes, il existe de nombreuses recettes pour le même plat. L'Arétin a énuméré trente-deux positions. D'autres auteurs en citent un plus grand nombre et les amateurs de gymnastique et d'agrès en ont sans doute quelques inédites à leur actif.

On peut aussi relire les règlements de la navigation intérieure :

Les accouplements doivent être maintenus uni-

formément tendus... Ils doivent pouvoir se faire et se défaire de façon simple et facile.

En outre, les ouvertures qui pourraient se présenter doivent être munies de dispositifs de protection appropriés (1).

Comme disait un prêtre à des jeunes mariés :

— En amour, il y a toujours quelque chose qui s'emboîte.

Il ne précisa pas toutefois que l'emboîtage le plus classique est la position du Missionnaire, nom semble-t-il né à la fois en Polynésie et en Afrique. Les indigènes avaient en effet des habitudes différentes de celles du pasteur venu les évangéliser. Le fait que la femme soit étendue sur le dos et l'homme allongé sur elle leur paraissait du plus haut comique. Pour eux, l'homme devait s'allonger sur le dos de la femme. Ce que d'aucuns ont appelé la position des Infidèles (nom qui bien sûr n'a rien à voir avec la fidélité conjugale).

Quelqu'un, je crois que c'est Rudyard Kipling, a dit : « Le monde se divise en deux, d'un côté ceux qui portent la chemise dans le pantalon, de l'autre ceux qui la portent sur le pantalon. » Ces deux mondes se caractérisent aussi par la position qu'ils préfèrent pour l'amour. Or il est amusant de constater que les Européens, surtout les jeunes, adoptent de plus en plus la chemise hors du pantalon et la position des Infidèles.

Il ne faut surtout pas confondre celle-ci avec la sodomie qui, on l'apprend en lisant la Bible, doit son nom à la ville de Sodome, détruite, en même temps que Gomorrhe, par le feu du ciel.

D'un pays à l'autre, les habitudes alimentaires changent, tout comme les habitudes sexuelles. De même qu'il y a des peuples qui ignorent les hors-

(1) Extrait du décret n° 73-912, du 21 septembre 1973, portant règlement général de police de navigation intérieure. Chapitre VIII : Dispositions complémentaires aux convois poussés.

d'œuvre, il y a des hommes qui se refusent au cunnilinctus.

— Horrible chose, disait un Sud-Américain dont je ne préciserai pas la nationalité pour éviter des incidents diplomatiques.

On m'a affirmé que, dans le pays du monsieur en question, les hommes étaient parfaitement réfractaires au cunnilinctus. D'où le succès des étrangers adeptes de la chose.

A l'inverse de la sodomie, c'est un exercice tout à fait recommandable et que les dames apprécient beaucoup. Même quand, réuni à la fellation(1), il aboutit à une pratique qui, contrairement à ce que pourrait faire croire le code postal, n'est pas une spécialité du département du Rhône.

Ma nièce Indiana avait dix-sept ans lorsqu'elle voulut s'informer à ce sujet :

— Un homme qui fait l'amour à l'envers, qu'est-ce que c'est ? demanda-t-elle à sa grand-mère.

— Je ne comprends pas.

— Regarde, dit Indiana qui plaça tête-bêche un couteau et une fourchette.

— Mon Dieu, ma petite fille, l'homme qui fait ça est un satyre.

Les tenants de l'arithmétique amoureuse n'ont heureusement rien à voir avec les satyres, ces demi-dieux des champs et des forêts qui, munis d'une flûte ou d'un tambourin, faisaient danser les nymphes ou les poursuivaient à travers les buissons. Encore moins avec les malheureux atteints de satyriasis, l'équivalent masculin de la nymphomanie.

— Il ne faut pas que le mari écrase sa femme,

_____

(1) En 1973, ni *cunnilinctus* ni *fellation* ne figuraient dans le Larousse en dix volumes. Motif donné par les rédacteurs : « C'est trop technique. »

disait un bon curé lors d'une messe de mariage.

Je ne pense pas qu'il ait voulu conseiller aux futurs époux d'être des continuateurs de l'Antiquité gréco-romaine, où l'on pratiquait de préférence la position inverse de celle du Missionnaire, c'est-à-dire madame sur monsieur. En fait, il n'y a pas de position idéale et un couple avisé saura changer de menu, quitte à revenir plus souvent à son plat de prédilection.

Une bonne cuisinière n'a pas tout appris en un jour. Ceux qui s'aiment ont bien le temps de découvrir, d'expérimenter et d'améliorer leurs recettes. Il faut simplement que chacun y mette un peu du sien. A madame de comprendre que certaines choses qu'elle n'imaginait pas peuvent être normales et agréables. A monsieur de faire naître le désir de sa partenaire et non d'imposer le sien.

— Quand je me suis mariée, m'a dit une Parisienne, mon mari me reprochait d'être un peu nunuche. A dix-sept ans, je ne pouvais pas avoir déjà fait le Tour de France.

Inversement, certains hommes sont jaloux du passé de leur femme :

— Où as-tu appris cela?

C'est pourquoi madame se fait parfois plus naïve qu'elle ne l'est en réalité :

— Je vis depuis quelque temps avec un garçon qui a moins d'expérience que moi. Alors, je me refoule un peu, pour ne pas le toucher dans sa fierté. J'arrive petit à petit à l'éduquer, mais c'est vachement compliqué, car il se vexe facilement.

D'ailleurs, pourquoi une femme ne se comporterait-elle pas de façon différente avec un homme qu'elle aime vraiment? Non par hypocrisie. Simplement parce qu'elle n'est plus tout à fait la même.

— J'avais eu un bon nombre d'amants et j'étais

une fille plutôt facile. Jusqu'au jour où j'ai rencontré l'homme avec qui je vis actuellement. Je me suis soudain sentie différente. J'ai flirté plusieurs semaines et, quand nous avons couché ensemble, j'avais presque l'impression d'être vierge.

**
*

Vers les années 50, un vieux médecin de Rennes reçut un coup de téléphone un peu embarrassé d'une de ses amies :

— C'est au sujet de nos jeunes mariés...

— Ils ne s'entendent pas?

— Si, si, très bien. Trop bien même, je le crains. Ils ont triste mine et je me demande...

— Je vois. Dites-leur de venir prendre un verre, chez moi.

L'apéritif servi, le bon toubib attaqua franchement :

— Je ne vous trouve pas bonne mine. Vous n'abuseriez pas un petit peu?

— Non, docteur. Une fois avant chaque repas. C'est pas comme ça?

Une blonde Nicole m'a dit :

— Boire, manger, dormir sont les quatre choses que je pratique quotidiennement.

J'ignore si elle était l'inventeur de cette formule. En revanche, je sais qu'il ne faut pas trop croire ce que racontent les autres. Même à Lyon où un jeune marié expliquait :

— Docteur, les copains m'ont dit qu'eux y allaient facilement huit ou dix fois par jour.

Ceux qui se vantent de leurs bonnes fortunes ou de leurs records sexuels sont souvent ceux qui en font le moins.

— Il y en a qui se prennent pour des dieux, disait une Parisienne, et puis au pied du mur!

On ne doit surtout pas oublier qu'en amour, comme en gastronomie, la qualité a plus d'importance que la quantité.

Au Havre, un couple désirait obtenir un prêt immobilier. Noms... prénoms... dates de naissance... le questionnaire ne présentait pas de difficultés.

— Régime matrimonial?

Là, monsieur semble surpris. Il se tourne vers sa femme et grogne :

— Après tout, je sais pas en quoi ça les regarde! Deux fois par semaine.

Cette perle est un classique du genre. Je l'ai bien recueillie une dizaine de fois, tant auprès de notaires que d'employées de la Sécurité sociale. Plus originale, en revanche, la réponse d'une Versaillaise à qui l'on demandait le nom de son conjoint :

— Mais je suis mariée légitimement.

Que le mariage soit célébré à la mairie ou derrière la mairie, après la fièvre sexuelle des premiers mois, on revient à une température plus normale. Tout le problème étant que cette température soit à peu près la même pour les deux partenaires.

— Qu'est-ce qu'un micro-organisme? demandait-on à un élève de cinquième.

— C'est un petit orgasme.

En cinquième, on n'est pas obligé de savoir que l'orgasme est le point culminant du plaisir. Encore moins qu'il peut être ressenti en dehors d'un rapport sexuel complet. C'est néanmoins à deux que l'orgasme prend sa vraie valeur, quand l'homme et la femme sont littéralement emportés hors du monde par l'explosion partagée du plaisir.

Certes il n'est pas indispensable d'arriver ensemble au septième ciel, encore faut-il y parvenir l'un et l'autre. Or trop de dames se plaignent de rester à la porte, victimes d'un mari peu maître de ses réflexes ou simplement égoïste.

— Messieurs, disait un avocat parisien, vous laisserez ma femme jouir sans réserve et sans limitation de durée.

Il s'agissait d'une affaire de loyer. En amour, les choses sont un peu différentes et dépendent à la fois du comportement de l'homme et du tempérament de la femme. Tant il est vrai que les agriculteurs les plus habiles ne feront pas pousser de cerisiers sur la calotte glaciaire.

— Il ne faut pas être obnubilée par l'orgasme, m'a dit une psychologue, ni incriminer un époux qui n'est pas forcément responsable. Tout le monde ne ressent pas les choses de la même manière, qu'il s'agisse d'un bon repas ou d'une nuit d'amour.

— Les deux premières années de mon mariage, j'étais contente dans les bras de mon mari et je n'imaginais pas que l'amour pouvait m'apporter quelque chose de plus.

Jusqu'à un certain soir où il suffit d'un dîner arrosé, d'un changement de décor pour que ce soit la grande révélation :

— Je pense avec terreur que si j'avais passé cette nuit à l'hôtel avec un amant, j'aurais sans doute imaginé qu'il était l'homme de ma vie.

Les don Juan savent toute l'importance du cadre : un souper fin, une ambiance musicale, quelques verres de champagne, mais cela aussi un mari est en mesure de l'offrir à sa femme, et peut-être la nuit qui suivra ne sera-t-elle pas comme les autres.

— Tu es le premier à me rendre vraiment heureuse.

Combien de femmes l'affirment à leur amant! Même si ce n'est pas toujours vrai, elles arrivent souvent à s'en persuader.

— J'ai tellement raconté à Jean-Pierre que mon premier mari ne m'avait pas rendue heureuse physiquement que j'étais arrivée à y croire. Maintenant que j'ai quitté Jean-Pierre, je ne suis plus très sûre d'avoir été aussi frustrée que je le prétendais.

— Moi, en tout cas, m'a dit Françoise, je me suis persuadée pendant dix ans que mon mari me rendait heureuse. Aujourd'hui, je suis bien certaine que je ne l'étais pas.

— Je n'ai jamais eu de plaisir avec mon mari, expliquait une dame du Cambrésis. Je faisais bien des petites grimaces, mais c'était pour lui. Et puis, le jour de la première communion du gamin, ah! mon ami, le bonheur complet. Ensuite plus rien.

Le célèbre Rapport du docteur Alfred Charles Kinsey a révélé que les Américaines de 1948 étaient moins frigides que celles des générations précédentes. En Europe, et surtout depuis quelques années, la situation a tendance à s'améliorer.

On voudrait cependant que disparaissent complètement ces maris du type 1900 dont l'épouse était une douce esclave gérant la maison et faisant des enfants. Découvrait-elle l'extase, c'était de cinq à sept, dans les bras d'un amant qui lui-même ne se souciait guère des orgasmes de son épouse légitime.

Aujourd'hui, les jeunes filles acceptent de moins en moins de se laisser marier sans amour et la plupart n'ignorent pas ce qu'elles sont en droit d'espérer sur le plan sexuel.

— Les hommes, m'a dit Brigitte (vingt ans), savent qu'ils doivent s'occuper davantage de nous. Ce n'est pas un mal.

A côté des maris attentifs, il reste ceux qui oublient que leur plaisir n'est pas automatiquement partagé. Le devoir conjugal devient alors un pensum pour l'épouse, mais, au lieu de se jeter dans les bras d'un amant, pourquoi ne pas essayer de s'expliquer franchement?

— C'est difficile, m'a dit une amie, je sais que ma mère en a parlé souvent à mon père. Il ne voulait pas comprendre.

Il y a aussi ceux qui considèrent leur femme comme « vicieuse » ou « détraquée », si elle réclame des préalables qui, pour certaines, sont même l'essentiel.

Il y a encore trop de femmes qui ne disent rien. Tristes épouses n'osant pas aborder un sujet beaucoup moins tabou qu'elles ne l'imaginent.

— Je suis plutôt timide, m'a confié une Parisienne. Pour dire des choses difficiles, j'ai besoin de me mettre en colère et alors ça risque de tourner à la catastrophe. Mais le silence est encore plus affreux et j'ai pris l'habitude d'écrire.

C'est ainsi qu'elle écrivit au monsieur qui, depuis quelques semaines, partageait sa vie. Pour lui dire qu'elle l'aimait certes, mais qu'elle n'aimait pas la façon dont ils faisaient l'amour.

— Par écrit, je n'ai eu aucune peine à lui expliquer ce que je souhaitais. Je lui ai même conseillé de relire Zwang.

— Et alors?

— Alors, ce qui était banal au début est devenu merveilleux.

Les deux gros volumes du docteur Gérard Zwang (1) étaient d'un non-conformisme propre à hérisser bien des poils. Il ne fallait pas non plus en parler à cet ingénieur parisien :

— Au moment où ma femme a commencé à

_____
(1) *La Fonction érotique.* (Ed. Robert Laffont, 1972.)

lire *la Fonction érotique*, j'ai cru que j'allais être le premier bénéficiaire. Pas du tout! Quand j'allais me coucher, je la trouvais ses lunettes sur le nez et tellement passionnée par sa lecture qu'elle refusait de s'intéresser à moi.

Le manque d'information sexuelle peut être autrement grave. Le pire est que certaines idées fausses ont été soufflées par une mère bien intentionnée, mais qui a cru de son devoir de jeter un peu d'eau froide :

— Ma pauvre petite, l'amour ne ressemble pas à ce que l'on raconte dans les romans. Si tu t'imagines ça, tu te prépares bien des désillusions.

Résultat : la jeune épousée aborde le mariage inquiète, crispée, tendue, craignant tellement un échec que cela risque en effet d'être un échec.

La façon dont se passe la défloration a sans doute de l'importance. Mais, qu'elle ait lieu avant ou après le mariage, une première nuit d'amour est rarement une réussite parfaite. Le meilleur chauffeur ne peut demander son maximum à une auto en rodage.

A peine cinq pour cent des femmes ont droit à l'extase immédiate. Les autres attendent plusieurs semaines, plusieurs mois, voire davantage, avant d'aboutir à la plénitude du plaisir sexuel. L'important est qu'elles y parviennent un jour et ce n'est pas en se croyant anormales qu'elles mettront les meilleures chances de leur côté.

— Vous avez vu ces livres sur l'accord parfait? disait une sexagénaire à sa voisine. Moi, j'ai lu les prospectus de A à Z. Il y a tout.

Hochant la tête, elle ajouta :

— Ils ont de la chance, les jeunes. Si j'avais su tout ça, j'aurais sûrement pas divorcé.

**
*

En 1913, une sage-femme eut à s'occuper d'une

primipare dont elle voulut ensuite changer la chemise de nuit. Agrippée aux draps, la jeune accou-
chée refusait de se découvrir. Jusqu'au moment
où elle finit par dire à son mari, venu admirer le
bébé :

— Va donc dans la cuisine.

— Eh bien, demanda gaiement la sage-femme,
vous faites autant de difficultés pour enlever
votre chemise devant votre mari? Il ne vous l'a
donc jamais fait quitter?

Grands yeux surpris :

— Cela se fait donc?

Ce qui se faisait autrefois, c'était de longues
chemises de nuit avec deux petites fenêtres face à
face. Une lectrice se souvenait d'en avoir vu une
dans un magasin de Lille, aux alentours de 1900 :

— On appelait cela des chemises de saint
Joseph.

Je ne pense pas que ma grand-mère maternelle
(huit enfants) utilisa ce genre de chemises, mais
je sais qu'un jour mon grand-père, qui faisait
chambre à part, voulut pénétrer dans celle de son
épouse.

— N'entrez pas, André, dit ma grand-mère, je
suis en chemise.

Aujourd'hui, certaines femmes restent pudi-
ques. Il en est qui n'accepteront jamais de se
montrer nues à leur mari, d'autres qui pour rien
au monde ne dévoileraient leur poitrine.

Chaque couple a ses habitudes et ce qui choque
les uns semble banal à d'autres. Catherine adore
les chiens et les chats. Elle n'imagine pas que sa
chère ménagerie dorme ailleurs que dans la
chambre conjugale.

— Comment, disait-elle un jour à deux de ses
amies, vous faites ça devant vos petits animaux!
Moi, je les fais sortir.

— Nous pas et on retrouve généralement notre

chatte accrochée d'un air excédé au bout du lit.

— La nôtre aime beaucoup assister au spectacle. Je crois que c'est une voyeuse.

— J'ai surtout peur que notre chien se mette à aboyer, reprit Catherine, parce qu'il croit qu'on me fait du mal. Il est toujours inquiet pour moi et, ajouta-t-elle avec une belle ingénuité, dès que je monte sur un instrument qu'il ne connaît pas, il aboie.

Certains parents partagent leur chambre avec un ou plusieurs enfants, soit à cause de la crise du logement, soit en vertu de principes sûrement critiquables, s'ils n'étaient pas à l'origine de quelques jolis mots. A commencer par celui d'une fillette de trois ans, brusquement tirée de son sommeil et qui s'écria :

— Oh! maman, tu te balances. Attends, moi aussi y va.

Une autre mère, particulièrement expansive, avait réveillé Jean-Pierre (deux ans et demi) :

— Non, dit-il, pas celle-là, maman. Chantes-en une autre.

Une Niçoise avait rendu visite à une amie qui, la cinquantaine venue, s'était mariée avec un Marseillais.

— Voilà ma chambre et voici celle de mon mari.

— Ah! vous faites chambre à part!

— Oui, c'est une condition que j'ai mise à notre mariage.

— Mais alors, quand vous voulez vous rencontrer?

— Nous avons un code. Nous tapons sur le mur.

— Oui, dit monsieur, de son côté, c'est tout lisse et, du mien, c'est tout rongé.

Moins discrète, une Toulousaine apparaissait chaque semaine sur le palier de sa chambre.

Frappant dans ses mains, elle lançait d'une voix sonore :

— Adhémar, mon ami, nous sommes mercredi, la nature vous appelle.

Faut-il donc réunir les tempéraments fougueux et laisser ensemble les petites natures? Peut-être, mais on ne doit pas oublier que la fréquence des rapports sexuels est également fonction de la fatigue physique ou nerveuse.

— Quand mes parents reviennent de voyage, ma mère est gaie, détendue. Elle a envie de faire des gâteaux.

Les maris à qui leur femme dit non sont-ils sûrs de n'avoir rien à se reprocher? Combien oublient l'importance de quelques fleurs, d'une sortie imprévue, d'un geste tendre! Le temps n'est plus où les femmes étaient des esclaves soumises et il faut sans cesse les conquérir à nouveau.

La formule est je crois de Birabeau. En tout cas, elle est toujours d'actualité :

— Les amants sont comme les comédiens, ce n'est pas à la première qu'on les juge, c'est à la centième.

Certains séducteurs ressemblent en effet aux sprinters, brillants sur un vélodrome mais incapables de faire le Tour de France.

Car rien n'est acquis à l'homme et rien non plus à la femme. Des épouses, très heureuses au début de leur mariage, deviennent parfois frigides quelques années plus tard.

Les causes sont multiples et bien des théories ont été avancées et discutées par les psychanalystes et les sexologues.

L'infidélité de monsieur peut également provoquer un tel dégoût chez une femme qu'elle sera ensuite de glace :

— J'ai mon mari, disait une Lorraine, qui se voit ailleurs depuis trois mois et ça fait bien deux mois que je ne me sens plus quand je vais avec lui.

Malgré tout, c'est d'abord en elle-même qu'une femme doit chercher les raisons de sa frigidité. Un abandon vrai dans les bras de l'homme de sa vie est un meilleur remède que les recettes prétendument miraculeuses de Mme de Pompadour. Car la belle maîtresse de Louis XV était beaucoup moins chaude que d'aucuns l'imaginent et, avant de recevoir son royal amant, elle buvait du chocolat auquel elle ajoutait du céleri et de la poudre de truffe.

Pierre courtisait assidûment une brune sémillante qui se piquait d'avoir une jolie voix. Parfaitement au courant du déroulement de l'aventure, des amis firent à la dame mille compliments de son répertoire, en particulier une certaine chanson qui, prétendirent-ils, plaisait beaucoup à Pierre. Ils affirmèrent même que le moment psychologique revêtait une splendeur tout à fait exceptionnelle quand on chantait cette chanson.

Si bien que l'heure venue la dame se redressa soudain avec un air mystérieux et entonna d'une voix puissante :

Ça ferait peur aux oiseaux...

Pierre crut d'abord que sa presque-maîtresse devenait folle, puis le rire le saisit, un rire inextinguible dans lequel le désir fondit comme neige au soleil.

Bien qu'elle ne lui ait rien chanté, Ovide raconte comment il resta coi dans le lit d'une belle. C'est ce que l'on appelait au Moyen Age « avoir l'aiguillette nouée » et peu d'hommes peuvent se vanter de n'avoir jamais été victimes d'une semblable défaillance.

— Donnez-moi quelque chose pour faire marcher la nature, demandait un cultivateur de la Mayenne.

La toute jeune pharmacienne chuchota à son mari :

— Qu'est-ce qu'il veut? Des engrais?

Les dames réclament aux pharmaciens aussi bien de quoi éveiller la nature que de quoi la calmer. Dans le premier cas, il s'agit d'aphrodisiaques. Le potard ne peut tout de même pas répondre que la beauté, dont Aphrodite fut la déesse, est souvent le meilleur adjuvant de l'amour. Souvent mais pas toujours, car il y a des femmes très belles qui sont aussi d'une froideur totale.

Les médecins (et, hélas! les charlatans) connaissent nombre d'aphrodisiaques qui, à petites doses, ont la réputation de ne pas être dangereux. Certains sont utilisés depuis longtemps, comme les dragées à l'ambre gris dont le maréchal de Richelieu, remarié à quatre-vingt-quatre ans avec une jeune veuve, faisait une grande consommation.

Mlle Clairon, la célèbre comédienne, avait toujours un pied de basilic chez elle et ne manquait pas d'en faire croquer une feuille à ses amants.

Dans son *Tableau de l'amour conjugal*, un médecin du XVIIe siècle, Nicolas Venette, recommande le petit crocodile d'Égypte. « La chair de ses reins, précise-t-il, mise en poudre et bue dans du vin doux du poids d'un écu d'or, fait des merveilles pour exciter un homme à l'amour. »

Nicolas Venette rappelle la vertu de certains mets : la moelle de bœuf, les crevettes, les écrevisses et les cancres (qui comme chacun sait sont des crabes). Menu que l'on pourra compléter avec du caviar, sans oublier la vanille, le safran et un peu toutes les épices.

Il y a également le persil, du moins d'après un

vieux dicton du Périgord : « Si les femmes savaient ce que le persil fait aux hommes, elles iraient en chercher jusqu'à Rome. »

L'érection qui s'évanouit comme par enchantement ou l'éjaculation précoce sont souvent le lot des jeunes gens qui font leurs débuts. On aurait tort de prendre un premier échec au tragique : il peut être dû à l'imprévu de certains gestes, ou tout simplement à un désir trop longtemps contenu.

J'ai dit que je ne raconterai pas ma vie dans ce livre, puis-je tout de même avouer que la première demoiselle qui voulut bien m'accueillir dans son lit était hollandaise et que je lui ai laissé un piètre souvenir des Français? Il est vrai, je l'ignorais alors, qu'une séance de flirt au cinéma n'est pas forcément une bonne préparation à une nuit d'amour.

Nombre de dames ont pour principe de ne pas dire oui la première fois et de remettre la finale à plus tard. Sans doute y a-t-il le souci de ne pas paraître trop facile, mais aussi le sentiment que le lendemain, en repartant de zéro, cela risque d'être plus réussi.

— Moi, m'a dit une Parisienne, même quand j'ai décidé de coucher avec un garçon, je m'accorde deux ou trois soirées de tendresse. Les serrements de main, les menus baisers, c'est tellement agréable! A condition, bien sûr, que cela ne s'éternise pas.

Il peut se faire qu'un jeune homme, normal avec des compagnes de rencontre, ait l'aiguillette nouée face à celle qu'il aime vraiment. C'est la crainte de ne pas être assez brillant et cela dure rarement bien longtemps. Surtout si la partenaire a l'intelligence de ne pas se gausser bruyamment de cette défaite. Mais je ne pense pas qu'il faille lui conseiller les vieux trucs d'autrefois : jeter

dans la chambre des fèves coupées en deux, attacher au pied du lit des testicules de coq ou passer les gonds de la porte à la graisse de chien
noir.

Certains maris ne sont pas faits pour être infidèles et se découvrent impuissants au moment
d'un quelconque adultère. Cela s'explique par un
sentiment de culpabilité plus ou moins conscient.

Après tout, puisqu'il y a des gens dont l'estomac se révolte à l'idée de manger certains plats,
pourquoi n'existerait-il pas des réticences en face
de dames maladroites ou peu inspirantes?

— Popaul est très indépendant, m'a confié un
général en retraite.

L'indépendance a ses limites. En cas d'échecs
répétés, il ne faut pas hésiter à consulter un
médecin et à lui faire part de ses difficultés.

— Docteur, disait un Sarthois, c'est pour moi.
Y a le système de la machine qui va pas.

Heureusement, il existe très peu d'hommes
dont le système de la machine ne finisse pas un
jour par fonctionner.

— Je ne suis pas partisan de la contraception,
parce que je suis le cinquième enfant de ma
famille.

Dans la revue où je l'ai lu, le mot était attribué
à Cronin. Paternité douteuse, car Cronin était fils
unique.

Un inspecteur primaire qui visitait une école de
Charente demanda à un élève :

— Tu as des frères et des sœurs?
— Non.
— Tu en auras bien un jour?
— Non, j'en aurai pas. Ma mère l'a dit.
— Pourquoi?

— Ma mère a dit qu'elle aimait mieux élever un goret qu'un drôle.

Ce qui compte dans le mariage, écrivait un élève de troisième d'un C.E.S. de Compiègne, *c'est le devoir conjugal. Moi, ma femme aura un enfant pour la beauté du geste.*

Sans enfants, le mariage n'a guère de sens, mais il est préférable de savoir espacer les naissances en fonction des problèmes de logement, d'argent ou de santé.

— Maman, disait Nelly (sept ans), on voudrait une petite sœur.

— Non, on vient de déménager et c'est cher une petite sœur.

— Si papa dit oui?

— Moi, je dirai non.

Alors Nelly, un poing sur la hanche :

— Et si papa te fait le coup?

Marie-Christine (trois ans) et Jean-Pierre (deux ans) pensaient déjà aux enfants qu'ils auraient plus tard.

— Maman, Jean-Pierre est petit. Il sait pas. Il dit qu'il veut mille enfants. C'est pas possible?

— Non, ma chérie.

Marie-Christine réfléchit un instant et dit :

— Moi, j'en veux que cent.

Une femme, encore faut-il qu'elle soit assez solide pour ça, ne peut guère dépasser vingt-cinq enfants. Tout le monde n'a pas envie d'essayer de réaliser ce genre de performance et il est normal que les époux se mettent d'accord sur le problème de la régulation des naissances. Ce n'est pas toujours facile :

— J'ai à peine le temps d'enlever mon pantalon, se plaignait un mineur du Nord, que ma femme est déjà enceinte.

D'un tel coq, on dit en Normandie :

— Il est comme les pies, il a les trois quarts en queue.

C'était le cas d'un brave homme de Gueugnon qui avait douze enfants. Le médecin du travail lui conseilla un peu de modération, sinon pour lui du moins pour son épouse.

— Vous avez bien raison, docteur. Il est grand temps que je raccroche mes ustensiles au grenier.

J'ai demandé récemment à Corinne (neuf ans) si elle espérait avoir un petit frère. Désignant ses parents, elle me dit :

— Ils peuvent plus.

— Pourquoi donc?

— Parce qu'ils couchent plus tout nus.

Un jeune Nantais était fort occupé à faire des marques sur un calendrier *Ouest-France.*

— Qu'est-ce que tu fabriques?

— Tu comprends, j'ai un copain à qui il est arrivé des bricoles, parce qu'il n'était pas prudent. Moi, je ne tiens pas à ce qu'il m'arrive la même chose.

Neuf mois plus tard, il ne lui arriva pas tout à fait la même chose, puisqu'il se retrouva père de beaux jumeaux.

C'est en 1929 qu'un Japonais, le docteur Ogino, crut avoir mis au point une méthode parfaite de régulation des naissances. Vers la même époque, un Tchèque, le professeur Hermann Knaus, était arrivé à des conclusions analogues. La méthode Ogino-Knaus fut appliquée avec enthousiasme, mais il y eut de par le monde beaucoup de petits enfants que leurs parents auraient pu baptiser Ogino ou Hermann.

D'autres ont cru ou croient encore à la vertu de ce que l'on appelle « la douche vaginale ». Triste procédé qui, pour avoir des chances d'être efficace, doit être mis en œuvre dans la minute suivant la fin de l'acte sexuel.

— Va vite te laver, avait dit Jacques à sa jeune
maîtresse.

Un instant après, il la retrouva dans la salle de
bains en train de se laver consciencieusement les
mains.

Il y a heureusement des méthodes moins frus-
trantes, qui vont de la Pilule au stérilet (alias
scoubidou), en passant par le diaphragme. Sans
oublier la stérilisation de monsieur, opération
bénigne qui a, paraît-il, un grand succès aux
États-Unis où certains la considèrent comme la
meilleure assurance contre les procès en recherche de paternité.

Beaucoup de Français restent fidèles aux préservatifs masculins. Et aussi cette Libanaise qui
disait à une amie :

— J'ai peur d'être enceinte. Ce mois-ci, mon
mari a oublié de mettre son petit manteau
anglais.

Dans un magasin de Fécamp, une dame parlait
de ses deux enfants :

— Je n'en aurai pas d'autres, disait-elle, j'en
suis certaine.

— T'as pas de mérite, remarqua son fils
(quatre ans), tu prends la Pilule.

C'est en 1956, à Porto Rico, qu'un médecin amé-
ricain, le docteur Pincus, dirigea les premières
expériences sur l'utilisation de la Pilule (avec un
grand P) pour la régulation des naissances.

Très largement contestée à ses débuts, la
Pilule a été accusée de bien des maux. En fait, elle
s'est beaucoup améliorée au fil des années, mais
son usage ne s'est répandu qu'assez lentement et
tous les médecins n'en sont pas partisans. Les
natalistes non plus, à commencer par ce moutard
qui s'écriait :

— Eh bien, moi, je la repeuplerai, la France!

Un Espagnol avait découvert que sa femme prenaît la Pilule sur les conseils d'un gynécologue parisien, il voulut casser la figure de celui-ci.

— Trois enfants à dix-huit ans, il me semble qu'elle pouvait souffler un peu, racontait le médecin qui, pendant un mois, dut sortir de l'hôpital par une porte dérobée.

— Il y a aussi, m'a dit une dame, les gros paresseux à qui la méthode Ogino apporte des périodes de repos sexuel qui leur conviennent parfaitement.

Sans compter ceux qui ont par ailleurs une petite amie, laquelle prend bien entendu la Pilule.

Il y a surtout les maris jaloux qui s'imaginent que leur épouse, libérée de la crainte d'avoir un enfant, va se mettre à collectionner les amants :

— Je ne veux pas qu'elle aille couchailler à droite et à gauche, s'écriait un professeur d'un C.E.S. de l'Essonne.

J'ai interviewé une lycéenne de quinze ans, fille d'un toubib parisien :

— Mon père m'a dit que si j'avais besoin de la Pilule, il me la donnerait. Je préférerais la demander à un autre médecin. Seulement, la première fois, ça ne se prépare pas.

La première fois, Carol avait seize ans :

— Je ne prenais pas la Pilule, mais j'ai quand même compté sur mes doigts.

— Eh oui, m'a dit un ami, quand elles débutent, c'est comme dans le temps.

A moins d'avoir une mère du genre de cette dame de Saumur qui, avant d'autoriser sa fille à partir travailler à Paris, posa une condition :

— Je veux que tu prennes la Pilule.

Un médecin m'a cité le cas d'une demoiselle venue se faire prescrire la Pilule. Deux mois plus tard, elle revenait pour une autre raison.

— Alors, s'inquiéta le toubib, vous supportez bien la Pilule?

— J'ai arrêté.

— Mais vous pourriez être enceinte?

— Ah! non.

Au ton, le médecin devina :

— Vous êtes encore vierge?

La jeune fille rougit jusqu'aux oreilles :

— C'est vrai, il ne m'a rien demandé.

Une lycéenne de la banlieue bordelaise était bien décidée à prendre la Pilule avant :

— Je n'ai pas envie de mourir de peur.

En général, on y vient plutôt après. On hésite un peu, on rougit légèrement et on cherche à énoncer la chose de la façon la plus scientifique possible :

— Docteur, j'ai des rapports sexuels.

— Ouf, c'est dit! constate le médecin avec un bon sourire.

Pour Brigitte (vingt ans), pas question d'ignorer la Pilule :

— C'est la possibilité d'avoir un enfant, quand on se sent prête et avec celui que l'on a choisi.

— Lorsque j'ai commencé à la prendre, ajouta-t-elle, j'ai expliqué le mécanisme à ma mère. Elle a été très intéressée.

*

Un gynécologue parisien m'a raconté ce qu'il considérait comme « la meilleure de sa carrière » : la visite d'une superbe Camerounaise, accompagnée de son mari et portant un beau bébé dans ses bras.

J'ai l'impression qu'elle est enceinte, écrivait le médecin traitant, *mais elle me dit qu'elle prend la Pilule. Elle ne se rappelle pas le nom du produit.*

Le gynécologue eut plus de chance. La dame sortit de son sac une boîte des pilules qui lui avaient été conseillées dans son pays. C'était des

pilules Pink... les célèbres pilules pour « personnes pâles ».

— Ma voisine, expliquait une Nord-Africaine, a
fait une cure de Pilules pendant trois mois, mais
ça n'a pas suffi. Ensuite, elle est tombée enceinte
comme avant.

En France, la loi sur la contraception fut
longue à faire voter et encore plus longue à faire
appliquer.

— Il est certain, m'a dit Lucien Neuwirth, le
père de la loi, que les choses auraient avancé
beaucoup plus vite si les hommes pouvaient être
enceints.

Au début, ce ne fut même pas la Pilule pour
toutes. Les députés décidèrent qu'il n'en était pas
question avant dix-huit ans et que, de dix-huit à
vingt et un ans, il fallait le consentement écrit de
l'un des parents.

— Résultat, m'a dit un toubib de Seine-et-
Marne, une bonne partie des médecins français
auraient dû être en prison, pour une durée de un
à quatre ans, tarif prévu par la loi.

Les médecins n'étaient pas tous aussi conci-
liants et certaines demoiselles s'adressaient à
leur journal préféré pour demander conseil. Telle
cette lectrice de Poitiers, écrivant à la revue
Multicontacts :

*J'ai dix-huit ans, j'aime un garçon de vingt et
un ans et naturellement nous avons des rapports
sexuels. Mais nous avons constamment peur de
faire un enfant, ce qui gâte un peu notre amour.
L'un comme l'autre nous aimons bien les enfants,
mais nous souhaitons en avoir que lorsque
nous serons mariés et qu'il aura terminé ses
études.*

*J'ai été voir le médecin de famille pour qu'il me
procure la pilule, mais il n'a pas voulu me rédiger
une ordonnance sans savoir ce que mes parents*

en pensaient et qu'ils me donnent une autorisation.

J'en ai aussitôt parlé à mes parents, mais ils ont eu une réaction qui m'a vraiment déçue, ils se sont mis dans une colère épouvantable, et ne m'ont pas adressé la parole pendant toute la journée...

D'autres utilisaient les Pilules d'une grande sœur où d'une amie complaisante, donc sans visite médicale préalable, ce qui pouvait être grave, car il y a des cas où la Pilule est absolument contre-indiquée.

— Dans l'établissement où j'enseigne, m'avait dit une prof de lettres, les filles des pharmaciens et des médecins vendent la Pilule aux copines et certaines pratiquent de vrais tarifs de marché noir.

D'où une réunion de parents, au cours de laquelle l'épouse d'un médecin de la Beauce répondit :

— Mes filles ne volent pas de médicaments à leur père, c'est moi qui les leur donne, car je veux qu'elles fonctionnent à la Pilule.

Ma nièce Dominique fonctionnait à la Pilule :

— Ça ne m'a pas empêchée d'avoir un enfant.

Comme je m'étonnais, elle précisa :

— Ben oui, parce que j'en ai manqué.

Il y a pourtant des trucs pour ne pas oublier :

— Moi, c'est bien simple, m'a dit Marie-Thérèse, je mets ma boîte de Pilules dans le sucrier.

— Et moi sur l'oreiller, parce que je la prends le soir.

Une dame demandait un jour à Lucien Neuwirth :

— Pourquoi n'y a-t-il pas une Pilule pour les hommes?

— Ne le souhaitez pas trop, car si votre mari oublie c'est vous qui serez coincée.

En attendant « la mensualisation » souhaitée par les étourdies, il y avait encore, en 1973, une très forte majorité de dames, surtout parmi les moins jeunes, qui ne voulaient pas prendre la Pilule.

— D'abord, ça fait grossir!

Ce qui aux yeux de certaines est le pire des reproches.

— J'ai deux enfants et je n'ai pas besoin de Pilule, affirmait une Normande: Vous comprenez, docteur, j'ai ma méthode personnelle. Quand je fais l'amour, je monte sur mon mari. On n'a jamais vu remplir un tonneau la gueule en bas.

Elle avait de la chance et il vaut encore mieux appliquer la méthode classique que décrivait l'épouse d'un plombier meusien :

— Pour ne pas avoir d'enfants, on bat en grange et on vanne dehors.

Ainsi faisait Onan dont la Bible raconte qu'obligé de s'unir à la veuve de son frère, et ne voulant pas d'enfant, « il laissait tomber sa semence à terre ».

C'est ce qu'une élève de seconde appelait, avec un bel optimisme, « le coït ininterrompu ». Généralement, ceux qui pratiquent le coït interrompu sont fiers de leur habileté. La méthode a, en réalité, pas mal d'inconvénients et elle est surtout moins efficace que ne l'imaginent les disciples d'Onan.

Pauvre Onan, il serait sûrement peiné d'apprendre que son nom est resté attaché non pas au coït interrompu, mais à une pratique solitaire qu'il n'employa peut-être jamais.

Jamais, ce n'est guère probable, car rares sont les hommes qui n'ont pas débuté par là leur recherche du plaisir. Quant aux médecins, s'ils conseillent la modération, ils ne croient plus, comme au siècle dernier, que l'auto-érotisme soit cause de l'épilepsie, de l'apoplexie, de la tuberculose, de la paralysie, de l'asthme, de la folie, de la stérilité, de l'impuissance, du vieillissement précoce et même de la cécité.

De là à le conseiller, comme Diogène à ses disciples ou comme Brown-Séquard à ses collègues de l'Académie des sciences, il y a une marge. En fait, c'est un palliatif dont on découvre vite qu'il n'est pas vraiment satisfaisant.

L'amour à deux pose bien d'autres problèmes aux jeunes :

— On nous apprend comment on fait les enfants, se plaignait un élève de première. Moi, ce qui m'intéresse, c'est de savoir comment ne pas en faire.

Il est difficile de donner un conseil précis, d'autant que tout le monde n'est pas d'accord. Puisqu'elle a pris position sur ce sujet, il faut rappeler que, contrairement aux Églises protestantes, l'Église catholique distingue les procédés naturels et les procédés artificiels.

— Cette distinction de deux procédés pour le même but est insoutenable, m'a dit un pasteur, et un couple marié doit être seul juge de la façon dont il pratique le contrôle des naissances.

Le pape Paul VI n'était pas de cet avis et ne reconnut comme licites que les moyens naturels. Or la méthode Ogino, même assortie de l'usage du thermomètre, conserve un côté roulette russe que nombre de catholiques se refusent à accepter. Sans compter que les jours « sans » n'ont rien d'agréable.

— Mais si, disait un capucin, les gens sont heureux quand ils s'abstiennent.

— Ah! taisez-vous, mon père, lui dit une mère de famille, vous n'avez jamais été marié.

Bien que couronnée de succès, je n'ose conseiller la méthode d'un de mes oncles qui faisait faire des neuvaines à la bonne pour ne pas avoir un deuxième enfant. En effet, ce qui convient pour l'une n'est pas forcément efficace pour l'autre et on aurait tort de se fier aux conseils de ses amies. Mieux vaut consulter un médecin compétent.

Ma nièce Indiana (deux enfants depuis) avait dix-neuf ans et venait de se marier quand elle se rendit, pour la première fois, dans un centre du Mouvement pour le planning familial. Une gynécologue lui demanda de se déshabiller et de se mettre en position en vue de l'examen ad hoc.

— Ouvrez vos lèvres, dit-elle.

Et Indiana ouvrit la bouche.

Au moment où j'écris, Indiana pratique la Pilule. Au grand dam de ses enfants, Marie-Ève et David, qui passent leur temps à cacher la boîte en disant :

— On veut un bébé, on veut un bébé!

Nous n'existons vraiment que par ces petits êtres
Qui dans notre cœur s'établissent en maîtres,
Qui prennent notre vie et ne s'en doutent pas,
Et n'ont qu'à vivre heureux pour n'être point ingrats.
                    Emile Augier : *Gabrielle.*

L'HEURE DU BÉBÉ

En 1907, un médecin du Finistère reçut la visite d'une demoiselle qui, à l'examen, se révéla très nettement enceinte.

— Comment as-tu pu te laisser faire? demanda-t-il.

— Ah! docteur, il m'avait pourtant bien promis que j'aurais épousé son frère.

Certaines se refusent à croire au diagnostic du médecin :

— Je ne veux pas être enceinte, disait une jeune Périgourdine, parce que j'ai pensé très sérieusement à ne pas avoir d'enfant et mon fiancé aussi.

Elle avait souvent entendu parler de gens qui « voulaient un enfant » et elle croyait que l'inverse était vrai, à condition d'y penser fortement. Je précise que cela se passait en 1973, que la demoiselle (mariée depuis) n'était ni demeurée ni analphabète. Elle avait fait ses études secondaires, il est vrai dans un temps où l'on ne parlait pas encore d'éducation sexuelle au lycée.

Quelques années plus tôt, une autre demoiselle, lorraine celle-ci, avait été très étonnée d'apprendre qu'elle était enceinte. Certes, elle avait couché avec cinq ou six garçons, mais, dit-elle au médecin :

— Ce n'est pas possible que je sois enceinte, je n'ai pas d'alliance au doigt.

Une Bretonne attendait un numéro cinq et le numéro quatre n'avait que huit mois :

— Docteur, c'est à cause de la grippe. Si j'avais voulu me faire vacciner comme mon mari, ça ne serait pas arrivé.

A La Bourboule, une vieille femme avait pris son bain dans la partie réservée aux hommes. Inquiète, elle demanda :

— Est-ce que je vais pas être enceinte?

Une gente Périgourdine l'était bel et bien de six mois.

— Impossible, docteur, je suis vierge.

— Je veux bien vous croire, mais vous êtes enceinte.

La demoiselle réfléchit :

— Un jour, je me suis endormie à l'ombre d'un noyer. C'est peut-être bien ça.

Parfois la mère accompagne la coupable :

— Quand je pense, docteur, dans une cabane à lapins!

« Ce joli chinelle dans le tiroir », comme disait une brave dame, certaines voudraient bien s'en débarrasser.

Contraception et avortement gratuits pour tous et pour toutes, demandait un tract du Mouvement pour la libération de la femme. Le M.L.F. a en effet beaucoup œuvré en vue d'obtenir la liberté de l'avortement en France. Son action fut parfois sérieuse, parfois folklorique. Ainsi, le jour où ces dames vinrent chahuter la conférence d'un professeur de médecine, adversaire de l'avortement. Comme il fallait bien se défendre, l'une d'elles eut une idée :

— Pas de matraques, nous pourrions avoir des ennuis avec la police. Achetez toutes un gros saucisson.

Entre 1940 et 1945, le saucisson était rare, mais il restait d'autres plaisirs. Pas sans danger, il est vrai. Un jour, une jeune femme se présenta à la consultation d'un médecin :

— Mon mari est prisonnier depuis deux ans et je suis enceinte. Que pouvez-vous faire pour moi?

— Hélas! répondit le médecin, je ne peux absolument rien. Je n'ai jamais pratiqué d'avortement et ce n'est pas maintenant que je vais commencer. Je regrette, je ne peux pas et je ne veux pas.

— Alors, s'écria la dame, on ne fait rien pour les femmes de prisonniers!

Cette réplique ou sa semblable fit à l'époque le tour de France et on la citait comme une « bien bonne ». Une « bien bonne », sauf pour celles qui étaient dans l'embarras.

Que de médecins ont dû dire non à des femmes en larmes et qui les suppliaient! Tandis que d'autres dames demandaient plus ou moins hypocritement :

— Avez-vous un médicament pour faire descendre les règles?

Un toubib de Seine-et-Marne reçut un jour une Algérienne munie d'une lettre de son mari :

Je sollicite de votre honneur de bien vouloir lui donner les médicaments nécessaires si dès fois Elle est en ceinte.

Je suis d'accord pour la vortement.

En 1968, on estimait qu'il y avait en Europe autant d'avortements que de naissances. Certes, les antibiotiques ont fait baisser le taux de la mortalité, mais que de « faiseurs d'anges » payés à prix d'or pour leurs mauvais services! Jusqu'au moment où, dans certains pays, les médecins ont été autorisés à interrompre la grossesse. Cela fit l'affaire des privilégiés de la fortune qui n'avaient aucune peine à se rendre où l'avortement était autorisé. Pour les autres, il restait toujours le cycle infernal de l'angoisse, des remèdes de bonne femme et du dangereux bricolage.

Chaque fois qu'un pays permet ou veut permettre l'avortement, l'Église catholique et une partie des médecins protestent au nom du respect de la vie. Tandis que d'autres médecins estiment qu'une femme a le droit de choisir.

— L'avortement est une affaire de femmes, m'a dit une étudiante. Il est invraisemblable que ce soit les hommes qui légifèrent à ce sujet.

— Certes, dit une autre étudiante, mais l'avortement ne doit pas remplacer la contraception.

L'important est d'apprendre aux femmes à avoir leurs enfants au moment choisi par elles. A condition que cette éducation aille de pair avec de meilleures conditions de vie et de logement pour les familles nombreuses, la fin des bidonvilles et des taudis.

En 1939, une fille mère, comme on les appelait alors, était venue chercher ses trois aînés à la porte de l'école.

— Quoi, s'étonna l'instituteur, vous en attendez encore un autre?

— Que voulez-vous, je n'ai que ça et la bouteille.

Fille mère, je me suis mariée après coup, écrivait une dame à la Sécurité sociale.

Pas toujours avec le père de l'enfant, car il arrive que celui-ci se défile.

— Elle avait qu'à pas faire l'andouille, disait vers 1933 un jeune Périgourdin qui, réflexions faites, ne trouvait pas la demoiselle assez argentée.

Le temps commence heureusement à passer où l'on montrait du doigt celles qui avaient « fauté ».

On voit même des « mères célibataires » pour qui un enfant est un choix et non une fatalité.

Au début du siècle, dans une petite ville de Gironde, une femme d'un âge déjà certain n'avait pas choisi d'être enceinte et la nouvelle fit sensation, car la future mère était confite en dévotion.

— Alors, ma pauvre amie, lui dit la marchande de layette, comment avez-vous fait cela?

La veuve joignit les mains, et baissant les yeux répondit :

— Il en faut si peu.

Deux amies d'enfance s'étaient rencontrées par hasard, dans un tramway de Toulon :

— Que je suis contente de te voir! Depuis le temps! Et que deviens-tu?

— Je me suis remariée et j'ai fait une petite.

— Ça me fait bien plaisir. Mais, dis-moi, tu avais été mariée huit ans et tu n'avais pas d'enfant.

— Que veux-tu, si la cage n'a pas changé, l'oiseau n'est plus le même.

Certains hommes ont de la peine à admettre qu'ils ne puissent devenir pères :

— Docteur, c'est impossible, je fais l'amour à ma femme plusieurs fois par semaine.

Stérilité n'est pas synonyme d'impuissance et, dans la moitié des cas, monsieur est responsable de l'absence de bébé. Ce que le Coran semble ignorer, puisqu'il autorise le mari à répudier la femme qui ne lui a pas donné d'enfant en cinq ans de mariage.

Une brave Tourangelle fut bien étonnée de voir arriver les gendarmes et d'apprendre que l'évêché avait porté plainte contre elle.

Les gendarmes finirent par comprendre que,

désireuse de recevoir la visite de l'inséminateur pour ses chèvres, elle avait écrit à *Monsieur le Séminaire* pour qu'il vienne les féconder. La lettre était parvenue au supérieur du grand séminaire qui n'avait rien compris à toutes ces turpitudes et s'était cru outragé.

L'incinération artificielle (le lapsus est d'une prof de sciences naturelles) n'est pas réservée aux animaux, mais nombre de médecins la déconseillent, car ils voient un danger pour l'équilibre psychologique du couple. Pourtant, n'est-ce pas une solution plus honnête que de s'adresser à un quelconque amant, pour avoir enfin le bébé tant souhaité?

Un médecin vendéen se souvient de deux femmes venues le consulter :

— Vous êtes enceinte, dit-il à la première.

Et l'autre, aussitôt :

— Baille-moi le louis d'or que tu m'as promis.

Le toubib demanda des explications :

— Elle m'avait dit qu'elle pouvait pas avoir d'enfants parce que son mari a de l'eau de moules. Alors, je lui ai prêté le mien contre un louis d'or.

Certains couples préfèrent l'adoption. Tant d'enfants ont trouvé le bonheur auprès de parents adoptifs qu'il faut presque se féliciter qu'il y ait des couples stériles.

— Et regretter, m'a dit une amie, qu'en France les formalités d'adoption soient encore tellement longues et tellement compliquées.

*
**

Un mois après la fécondation, le bébé n'est qu'un embryon d'un centimètre environ et qui ressemble à un têtard. En faisant son nid dans l'utérus, il est cause de l'interruption des règles,

premier signe que la future mère ne manquera
pas de signaler :

— Docteur, j'ai plus mes mensualités.

L'interruption des règles n'est pas forcément
une preuve de grossesse. Avant de se réjouir (ou
de s'alarmer), mieux vaut aller voir son médecin
qui au besoin ordonnera un test.

Tout le monde a entendu parler du test de la
lapine, à laquelle on injecte un peu de l'urine
d'une femme présumée enceinte. Pendant la
guerre, une fermière était venue faire part de ses
inquiétudes à un médecin :

— Il me faudrait une lapine, dit celui-ci.

— Docteur, ce sera difficile, mais si vous voulez un bon rôti de porc...

Depuis 1973, des tests permettent de vérifier
soi-même si oui ou non. Ils sont préférables au
vieux truc des matrones, selon lequel une femme
était enceinte quand elle buvait sans vomir du suc
de séneçon mêlé à de l'eau.

Et puis il y a, paraît-il, l'odorat. On m'a cité le
cas d'un cultivateur qui ne se trompait jamais :

— Docteur, disait-il, ma femme est sûrement
enceinte. Elle fleure pas la même chose.

Insouciant de tous les tests, l'embryon conti-
nue à grossir et, le quatrième mois, on lui donne
le nom de fœtus. Confortablement installé dans un
sac membraneux, il reçoit sa nourriture et son oxy-
gène à travers une sorte de filtre, le placenta, auquel il est branché par un cordon. C'est ce cordon
ombilical que l'on coupera après la naissance.

— Surtout ne croisez pas les jambes, disait une
voisine à Jehanne enceinte, le cordon pourrait
étrangler le bébé.

Amélie avait vingt-six ans quand elle se maria,
et elle croyait qu'il suffisait de dormir à côté de
son époux pour attendre un bébé, lequel naîtrait
par le nombril.

Cela se passait en 1891, mais bien d'autres jeunes femmes depuis ont cru des choses analogues. Vers 1930, une Italienne était à un mois d'accoucher lorsqu'elle se décida à demander à sa mère :

— Par où ça sort, le petit?

— Pardi, ma fille, ça sort par où on te l'a mis.

**

Corinne (quatre ans) voulait savoir comment les enfants viennent au monde et papa explique :

— Maman est allée te chercher au ciel.

— C'est haut le ciel! Comment a-t-elle fait?

— Avec une grande échelle et, quand il ne restait plus que quelques barreaux, je t'ai prise dans mes bras et je t'ai portée dans ton petit lit.

Alors Corinne en larmes et tapant du pied :

— Pourquoi tu m'as attrapée? Je voulais finir de descendre toute seule.

Dans une école maternelle, à Paris, l'institutrice raconte :

— C'est ainsi que le bon roi partit très loin chasser les voleurs et, pendant ce temps, la reine eut un bébé.

Franck (quatre ans) lève le doigt :

— Mais, madame, la reine a dû planter toute seule les choux pour que le bébé vienne.

Claude (trois ans) est insupportable :

— Tu vas avoir une fessée, dit maman.

— Si tu fais ça, je rentre dans mon chou.

Il y a de moins en moins de parents qui utilisent les vieux mythes : chou, rose, cigogne ou Petit Jésus. Pourtant, il en reste encore trop qui, au lieu de dire franchement la vérité, cherchent des comparaisons avec le règne animal ou végétal.

— Maman, comment je suis né? demandait Laurent (quatre ans).

— Eh bien, mon chéri, tu vois les poules, elles pondent des œufs, c'est un peu comme ça.

— Alors, s'exclame Laurent, indigné, on aurait pu faire une omelette de moi?

Les bébés qu'on achète dans un magasin font partie des fables qui ont la vie dure et ils sont à l'origine de bien des mots du style :

— Est-ce que les bébés sont garantis un an?

Guy (six ans) n'était pas convaincu par l'explication de la voisine :

— C'est impossible que les bébés soient dans les magasins. Au bout d'un certain temps, ils seraient plus frais.

Jean-Gabriel (quatre ans) avait vu un fœtus sur la couverture d'une revue. Il demanda ce que cela représentait :

— Un tout petit bébé avant de naître, répond maman.

— Alors, moi aussi, j'étais dans un journal avant de naître?

On a expliqué à Véronique (six ans) le pourquoi de l'embonpoint maternel. Le dimanche suivant, à table, on entend soudain la petite voix de Véronique qui, profitant d'un silence, remarqua :

— Ça se voit que monsieur le curé attend un vicaire.

Maman a parlé du futur petit frère à Christiane (trois ans) :

— Il est là, explique-t-elle en désignant son ventre.

— Comment fera-t-il pour sortir?

Maman embarrassée hésite à répondre, mais Christiane a déjà trouvé une solution :

— Je sais, dit-elle en faisant le geste de dévisser, on t'enlèvera la tête.

Autre mère, autre fille (Caroline, quatre ans) :

— Avant de naître, tu étais dans une poche remplie d'eau, comme un poisson.

— Alors, pourquoi je sais plus nager maintenant?

Pierre-Philippe (trois ans) voudrait savoir par où il est sorti du cœur de sa maman.

— Par une petite porte faite exprès pour cela.

— Mais, maman, quand je suis sorti, est-ce que j'ai bien fermé la porte?

Voici grand-mère. Bonne occasion de faire son éducation sexuelle :

— Tu sais, explique Frédérique (six ans), quand j'étais petite, j'étais dans le ventre de ma maman.

— Oh! oui, dit Mélinda (quatre ans), et qu'est-ce qu'on s'amusait bien!

Pierre-Mathieu (quatre ans) avait des souvenirs encore plus précis :

— Quand j'étais dans ton ventre, je me rappelle qu'il y avait une machine qui faisait des trous pour planter les cheveux.

Marc (sept ans) câline sa mère.

— Elle te plaît maman?

— Tellement que quand je suis né, que j'ai ouvert les yeux, je t'ai prise pour Brigitte Bardot.

***
***

Il y a une soixantaine d'années, une jeune femme de ma Dordogne natale était enceinte. Un matin, elle se réveilla avec une brusque envie de manger des champignons. Ne pas y céder, c'était l'assurance que l'enfant naîtrait avec un champignon sur le nez.

Seulement, on était à quelques jours de la Saint-Jean et chacun sait que si l'on mange des champignons avant, on est assuré de subir une perte d'argent. Face à ce dilemme, le mari consulté choisit de se conduire en bon père. La jeune femme mangea donc des champignons et, dès le lendemain, comme le vétérinaire était ve-

nu couper les cochons, le plus gros mourut.
C'est à ce prix que Louis dut de ne pas naître défi-
guré.

Il n'y a pas qu'en Dordogne que les femmes
enceintes ont des envies bizarres. S'il s'agit de
nourriture, les difficultés ne sont pas trop
grandes, sauf en hiver pour certains fruits. D'autres envies sont plus ennuyeuses. Ainsi cette
dame devenue brusquement kleptomane ou cette
autre qui voulait à tout prix mordre le cou d'un
jeune homme.

Une femme « en voie de famille » devra éviter
les trop grandes fatigues et bien entendu être suivie par un médecin, qui veillera entre autres à
l'équilibre du régime alimentaire. Régime pour
lequel les enfants donnent aussi des conseils à
leur mère :

— Maman, dit Martine (cinq ans), ne mange
pas cette soupe à l'oignon. Elle est poivrée : tu vas
faire éternuer le petit frère.

— Maman, dit Sylvie (quatre ans), ne mange
pas de glace. Tu vas geler les pieds du petit frère.

On ne prend jamais trop de précautions. A
Metz, une candidate au C.A.P. d'aide maternelle
écrivit : *Une femme enceinte ne doit pas porter de
hauts talons, sinon elle risque de tomber en
avant. Elle ne doit pas porter de talons plats,
sinon elle risque de tomber en arrière.*

Tandis que Philippe (cinq ans) demandait :

— Dis, maman, tu parles toujours de ton manteau de grossesse, de ta robe de grossesse, mais
pourquoi tu parles jamais de ton chapeau de grossesse?

Le mauvais état nerveux et les angoisses de la
mère peuvent-ils se répercuter sur le fœtus? Certains le croient.

— J'ai eu un accident d'auto, alors que j'étais
enceinte de sept mois, m'a raconté une jeune

femme. J'avais très peur, mais finalement tout s'est bien passé.

Et, sur le faire-part, on annonça *l'arrivée du jeune cascadeur Mathieu.*

L'avenir dira si Mathieu deviendra réellement cascadeur. De toute façon, il est peu probable que l'on rende un enfant musicien en écoutant beaucoup de musique ou qu'on lui donne le goût du sport en assistant à des matches de football.

Quant au sexe du bébé, il est fixé dès le moment de la fécondation. Ce qui n'empêcha pas une vieille dame de demander récemment à une voisine enceinte de six mois :

— Vous voulez un garçon ou une fille?

— Un garçon.

— Alors, mangez bien, parce que jusqu'à sept mois ça peut encore changer.

Non seulement cela ne peut pas changer, mais bien malin qui fera sur commande un garçon ou une fille. En 1915, un jeune médecin militaire avait été littéralement violé par son infirmière. Résultat : un fils dont le père officiel, un « embusqué », ne pouvait être responsable. Sa femme ne l'en morigéna pas moins :

— Je t'avais dit de faire attention!

La conclusion de l'histoire, je la dois à l'officier, aujourd'hui colonel en retraite :

— J'ai été bien puni. Marié quelques années plus tard, j'ai eu sept filles.

C'était hier. Demain, on triera les spermatozoïdes et, à condition de faire appel à l'insémination artificielle, il est probable que l'on pourra choisir.

En attendant, on peut toujours essayer de s'en remettre à la position de la Lune ou à la direction du vent. Certains croient ainsi pouvoir prévoir à l'avance le sexe de l'enfant. D'autres conseillent ce test : se tenir debout en chemise et glisser une pièce de monnaie entre ses seins. Si la pièce tombe à gauche, ce sera une fille; à droite, un garçon.

Un médecin de la Sarthe m'a expliqué qu'il inscrivait toujours *fille* sur son agenda.

— Lorsque c'est une fille, je dis aux parents : « Regardez, c'est ce que j'avais prévu. » Et, quand c'est un garçon, tout le monde est tellement content que personne ne songe à vérifier si je suis tombé juste.

Car, je ne sais pourquoi, au marché des bébés, les garçons restent généralement plus cotés que les filles. Il y a cependant des parents qui préfèrent ne pas savoir :

— Ce serait supprimer la joie de la surprise.

Sauf si l'on tient aux couleurs traditionnelles et si l'on veut choisir entre le bleu et le rose. A ce propos, j'avoue ignorer la couleur de la laine utilisée par cette dame enceinte, mais je sais que sa fille Elisabeth lui demanda soudain :

— Dis, maman, les pelotes de laine, tu les avalerais, le petit frère, il arriverait tout habillé?

Martine avait assisté à une discussion sur la venue prochaine du petit frère ou de la petite sœur. Le lendemain, elle raconta à une voisine :

— Maman veut une petite fille : elle est grosse. Papa, il veut un garçon. Je sais pas comment il va faire, il est tout maigre.

Tandis que, plaidant en 1964, devant le tribunal de Pithiviers, un avocat s'écria :

— Le père ou le fils, c'est la même chose. Le fils est sorti des entrailles du père.

Sabine (cinq ans) était davantage au courant du rôle de la mère, mais elle trouvait que l'arrivée du petit frère se faisait un peu trop attendre. Elle questionna Mamy qui répondit :

— Que veux-tu, le petit frère doit se trouver très bien dans le sein de sa mère.

— C'est pas dans le sein, dit Sabine. Tu parles, il y serait en plein dans le lait.

Sachant la vérité, les enfants acceptent souvent mieux la venue d'un frère ou d'une sœur. Alors que ceux qui croient qu'on va l'acheter ne comprennent pas toujours l'utilité de cet achat.

Vérité ou non, il y a un travail de préparation à faire. Ce fut le cas pour Pierre (quatre ans) à qui l'on répétait :

— Tu sais, la petite sœur sera très mignonne, tu l'aimeras, elle jouera avec toi...

Jusqu'au jour où, devant l'insistance générale, Pierre finit par capituler. Des larmes dans la voix, il s'écria :

— Eh bien, qu'elle vienne avec sa maman, alors! Je ne veux pas lui prêter la mienne.

Une autre mère préparait sa valise pour partir à la clinique et Michel (trois ans) annonça à papa :

— La petite sœur qui est près du cœur de maman a commencé à prendre le train.

Tanguy n'avait que deux ans et sept mois, mais il savait de quelle manière maman attendait son bébé. Un dimanche, toute la famille rend visite à un petit cousin qui vient de naître. Très intéressé, Tanguy regarde longuement le nouveau-né, puis se jette dans les bras de sa mère, en disant à voix basse :

— Maman, sors le tien.

Si tout se passe bien, l'accouchement ne survient qu'au bout de neuf mois et le temps semble souvent long aux futures mères. Elles peuvent se consoler en pensant que les éléphantes portent vingt et un mois. Il est vrai que la souris ne porte que neuf jours; la chienne et la chatte, soixante-trois jours.

En attendant la venue du petit frère, Josette

(six ans) songeait déjà aux bébés qu'elle aurait
plus tard :

— Je veux en avoir beaucoup. Le premier, je
l'achèterai tout fait, mais les autres, je les ferai
moi-même.

Jean-Claude (douze ans) n'avait pas eu de cours
de latin. Maman lui explique :

— Ton professeur s'est déchiré un muscle en
se tournant dans son lit.

— Ah! ça doit être une fausse couche.

La « fausse portée », comme disait un jeune
marié de Seine-et-Marne, ou avortement spontané
ne doit pas être confondue avec l'avortement provoqué. Même quand on le désire très fort, toutes
les grossesses n'arrivent pas à terme. Mais, grâce
aux progrès de la médecine et aux visites médicales obligatoires, on voit diminuer le nombre
des layettes commencées dans la joie et abandon-
nées dans les larmes.

La maman de Murielle avait été emmenée d'ur-
gence à l'hôpital et, le lendemain, Murielle expliqua à son institutrice :

— Cette nuit, j'ai eu une fausse sœur.

Dix mois plus tard, une nouvelle petite sœur
était là, un peu avant terme, et Murielle raconta à
sa marraine :

— Tu comprends, elle n'est pas mûre. Alors, à
l'hôpital, ils la font réchauffer.

Examen du C.A.P. On demandait à une candidate les causes de la naissance prématurée.

— C'est, dit-elle, quand l'enfant a besoin d'air.

Les naissances prématurées ont parfois d'autres causes. Un jeune Périgourdin était devenu
père la nuit même de ses noces. Ne connaissant
sa femme que depuis très peu de mois, il confia à
sa mère :

— Je savais que les enfants ça allait vite, mais je savais pas que ça allait si vite que ça.

Lorsque l'on a quatre-vingts ans et que l'on épouse une jeunesse de dix-huit ans, on est en droit de s'attendre à des surprises. Ce fut le cas, au début du siècle, pour un brave homme d'Anzin qui, se retrouvant papa au bout de cinq mois de mariage, s'inquiéta :

— Docteur, cinq mois, est-ce que c'est bien normal?

— Oui, il faut neuf mois : quatre mois et demi de jours et quatre mois et demi de nuits.

— Ah! merci, docteur.

Je connais un Jean-Michel né neuf mois, jour pour jour, après le mariage de ses parents. Rien d'étonnant à ce qu'il travaille dans les ordinateurs.

En Dordogne, comme ailleurs, une naissance prématurée fait toujours un peu jaser. Mais le bébé ne doit pas non plus trop tarder : ça fait jaser aussi. Un cousin de Jehanne avait marié sa fille et, quelques semaines plus tard, les commères du pays s'inquiétaient déjà :

— Alors, elle va bien?

Puis la question directe :

— Elle n'attend pas?

— Non, pas encore.

— C'était donc un mariage de raison?

Pas tout à fait, puisque l'enfant naquit quinze mois après les noces.

Personnellement, je suis né un an et un jour après le mariage de mes parents, ce qui me faisait dire :

— Si vous aviez trouvé quelque chose le jour de votre mariage, vous auriez pu aller le rechercher à la mairie le jour de ma naissance.

Feu mon jumeau et moi étions en avance de six semaines, comme j'ai eu l'honneur et l'avantage de le raconter dans *Le rire, c'est la santé*. Je ne vais pas revenir là-dessus, sinon pour préciser un point d'histoire. Dans mon livre, je me plaignais de ce que la chambre où je suis né soit devenue un poulailler. Cette affirmation me valut un démenti formel de ma tante Louise :

Ce n'est pas un poulailler, mais il y a des faisans et beaucoup de grands écrivains n'ont pas cet honneur.

**
*

Un médecin du Nord, venu s'installer à Paris, rencontra sa première cliente (une Eurasienne) dans l'ascenseur. Après la naissance du bébé, il lui demanda :

— Pourquoi avez-vous tenu à faire appel à moi? Vous ne me connaissiez pas et la famille de votre mari avait un médecin attitré.

— C'est que, docteur, j'avais remarqué que vous aviez les oreilles de Bouddha.

Jusqu'au XVIIᵉ siècle, en France, on confiait à des femmes le soin d'aider à l'accouchement. En 1663, la naissance de l'enfant de Louise de La Vallière devant rester secrète, on fit appel à un chirurgien, Julien Clément. Cette intervention fut néanmoins connue et, pour imiter la maîtresse du roi, les dames de la cour utilisèrent à leur tour les services d'un accoucheur.

Les « chasses femmes », comme disait une Charentaise, n'ont pas disparu pour autant. L'une d'elles qui exerçait en 1971, dans une maternité du Havre, avait reçu une future mère. Après les questions d'usage, elle lui demanda :

— Avez-vous des contractions?

L'interrogée se mit à fouiller fébrilement dans son sac et finit par dire :

— Je ne les trouve pas, j'ai dû les oublier à la maison.

Une assistante sociale remplissait un questionnaire. Nom... prénoms... née :

— Par la tête, je crois. Ma mère ne me l'a jamais dit.

Ceux qui président à l'accouchement préfèrent que la tête de l'enfant se présente la première. Dans le cas contraire, les choses sont parfois plus difficiles. Une sage-femme expliquait à la cousine d'une de ses clientes :

— C'était dur, car l'enfant est venu par les fesses.

Rentrée chez elle, la cousine annonça la nouvelle à son mari. Quel ne fut pas l'étonnement de la sage-femme, en recevant la visite du couple :

— Ben voilà, on voudrait savoir comment notre cousine a pu accoucher par les fesses ?

Dominique (neuf ans) avait lu dans un livre que Napoléon Bonaparte était né « par les pieds ».

— J'avais cru, raconta-t-il à ses parents, qu'il était sorti par les pieds de sa mère.

Quand tout va bien, les « contraventions » (alias les contractions) aident l'enfant à franchir le col de l'utérus. Le bébé se retrouve à l'extérieur, lié seulement à sa mère par le cordon ombilical. Mais ce schéma idéal n'est pas toujours respecté, surtout lorsqu'il s'agit d'un premier enfant. L'accoucheur doit parfois tirer sur la tête du bébé avec un forceps, et ce fut le cas pour un médecin qui opérait dans une ferme du Nord. Une fois tout terminé, il sortit fumer une cigarette. Une lumière brillait à l'étable, où le père était en train de traire une vache.

— Avec celle-ci aussi, docteur, j'ai eu bien du mal il y a huit jours.

Pour la maman de Brigitte, les choses n'avaient

pas non plus été faciles et Fabienne (cinq ans) expliquait à sa grand-mère :

— On lui a fait une tyrolienne.

La césarienne, c'est-à-dire l'ouverture du ventre et de l'utérus, se pratique dans les cas extrêmes. Jules César était, paraît-il, né de cette manière. Aujourd'hui, la césarienne (dont la technique a changé) est une opération relativement bénigne. Elle est surtout beaucoup plus rare que ne l'imaginait une institutrice belge de cinquante ans, qui n'avait jamais voulu d'enfant, parce qu'elle croyait la césarienne inévitable.

À Caen, une brave Normande expliquait à une sage-femme :

— J'ai eu une saharienne par coïncidence du cordon.

Un médecin des Cévennes avait inscrit sur sa porte :

> *Docteur...*
> *Médecine générale*
> *Accouchements*
> *Rayons X*

Une jeune Parisienne en vacances vient subir son premier examen prénatal. Au moment de partir, elle demande :

— Docteur, permettez-moi de vous poser une question. J'ai lu votre plaque avant d'entrer. Dites-moi, comment pratiquez-vous les accouchements par rayons X?

Une Vendéenne avait un accouchement particulièrement difficile et elle faisait tous ses efforts pour ne pas murmurer contre le Bon Dieu, jusqu'au moment où, n'en pouvant plus, elle s'écria :

— Ah! celui qui a dit « tu enfanteras dans la douleur » savait bien, lui, qu'il n'en ferait pas!

Aujourd'hui, les techniques de « l'accouchement sans douleur » permettent de supprimer complètement ou presque les souffrances dues aux contractions de l'utérus. On ne saurait donc trop conseiller aux futures mères ce que l'on préfère nommer maintenant « l'accouchement dirigé. »

Autrefois, on faisait appel à des méthodes moins éprouvées. Un médecin m'a raconté un accouchement particulièrement difficile, au point qu'il songeait à appeler une ambulance, quand la grand-mère le prit à part.

— Docteur, c'est de ma faute : j'ai oublié de tuer la poule.

Le médecin apprit ainsi qu'afin d'aider à l'accouchement on doit tuer une poule, destinée à faire un bon bouillon, premier aliment donné à la maman pour l'aider à se remettre.

Le même médecin faisait un remplacement dans les Landes, lorsqu'il fut appelé par une sage-femme pour un forceps à domicile.

— C'est que, dit-il, je n'ai guère d'expérience en la matière.

— Ça ne fait rien, docteur, je vous montrerai.

Le jeune toubib se trouve en face d'une primipare qui serre les fesses depuis des heures.

— Vous avez apporté l'engin? dit la sage-femme. Donnez-le-moi.

Elle le place dans une grande bassine, l'arrose d'alcool à brûler et met le feu. Puis, prenant la bassine par les anses, elle l'agite sous le nez de la parturiente, tandis que les flammes montent et que les fers s'entrechoquent.

— Alors, tu vas-t'y nous le montrer, ton lardon?

Dix minutes après, l'enfant était né, sans que le jeune médecin ait eu à toucher au forceps.

Toujours le même toubib, aujourd'hui installé dans l'Allier. Appelé dans une ferme, il examine la future mère et dit :

— Ce n'est pas pour tout de suite. Je vais faire deux ou trois visites et je reviens.

Silence de mort dans la parenté qui entoure le lit, puis le grand-père se détache du groupe et accompagne le médecin à sa voiture.

— Alors, docteur, à votre avis?

— A mon avis, quoi?

— Combien y en a ?

— Je n'en vois qu'un. Vous le savez bien.

— Ben oui, vous l'avez déjà dit. Mais, comprenez, aujourd'hui, y a la vache qu'a vêlé et y en avait deux. Y a la bique qu'a biqué et y en avait deux. Alors on disait : « Jamais deux sans trois. » Des jumeaux, ç'aurait été embêtant!

Nathalie (dix ans) avait entendu parler d'une dame qui, elle aussi, risquait d'avoir des jumeaux :

— Si elle a trois enfants, expliqua-t-elle, ce sera des triplés et, si elle en a quatre, des quadrilatères.

Tandis que Florence (cinq ans) s'inquiétait :

— Quand on a des jumeaux, on est obligé de les prendre tous les deux?

*
**

En 1970, une dame se présenta à la perception de Milly-la-Forêt. Pour toucher certaines allocations prénatales, elle avait besoin d'un certificat de non-imposition.

— S'il vous plaît, dit-elle, je voudrais un certificat de non-indisposition.

Les allocations versées pendant la grossesse ont l'avantage d'obliger les femmes à se rendre aux consultations prénatales. On ne devrait plus voir de cas comme celui de cette Algérienne vivant, il y a quelques années, en Seine-et-Marne :

— Elle a eu treize enfants, sans jamais avoir été examinée, m'a dit son médecin, et elle me faisait toujours venir après l'accouchement.

Parfois bébé survient à l'improviste. Un célèbre gynécologue parisien venait d'entendre des cris :

— Il y a dans le salon une dame qui perd ses eaux, dit la bonne.

Le gynécologue se précipite :

— Vous êtes en avance, madame. Voyez-vous une raison?

— Non, docteur.

— Rien du tout?

— Si, ce matin, j'ai eu une grosse émotion : je me suis mariée.

Une sage-femme reçut un jour un coup de téléphone affolé :

— Venez vite pour maman. Ça presse!

— Ta maman n'est pas ma cliente. Il faut l'envoyer à la maternité.

— Ce n'est pas possible. Le bébé va arriver.

Il était même là. Le mari faisait une drôle de tête. Il n'avait plus de relations avec sa femme et ne parvenait pas à croire que le bébé soit venu du Ciel.

En réalité, la dame fort corpulente avait prévu une naissance clandestine et une nourrice était retenue qui devait se charger de l'enfant, mais il était né avant terme. Pauvre bébé pour lequel rien n'était préparé et qui se retrouva dans une valise.

— Comment allez-vous l'appeler?

— Désiré, répondit le père d'un air sombre.

La sage-femme refusa et préféra s'en remettre au calendrier.

Le saint du jour est bien utile pour les parents sans imagination. Il peut arriver aussi que le père ait un peu trop arrosé la naissance et que, parvenu à la mairie, il ait oublié le prénom choisi par la famille. J'ai ainsi un copain qui s'appela longtemps Guy, avant de découvrir qu'il était Pierre pour l'état civil, ce qui finalement lui convint beaucoup mieux.

Il y a des prénoms plus difficiles à porter. Par exemple, Joffrette dont on affubla quelques filles de la période 1914-1918 :

— Celles-là, m'a dit un lecteur, peuvent difficilement tricher sur leur âge.

Si certains parents ont des idées saugrenues quant au choix des prénoms, d'autres n'ont aucune imagination. Une famille italienne déclara successivement Primo, Secundo ēt Terzo. Puis, elle vint habiter en France et l'enfant suivant s'appela tout bêtement Quatrième.

Maman était rentrée de la clinique avec une petite sœur qui faisait la joie et l'admiration de ses trois frères. Arrive l'heure de se coucher. Dominique (six ans) embrasse maman et remarque :

— Dis, elle va pouvoir regarder la télé, la petite sœur. Elle va pas à l'école demain.

A l'école, l'institutrice demande à Isabelle (sept ans) :

— Alors, est-ce qu'elle est gentille, ta sœur? Est-ce qu'elle te fait des petits sourires?

— Oh! non, madame, elle n'aurait jamais osé. Elle vient juste d'arriver.

Il y a cinquante ans, Jean (deux ans et demi) avait accompagné sa mère chez une amie dont le bébé venait juste d'arriver. Celui-ci était vêtu des longs langes de rigueur à l'époque. Le soir, Jean se précipita vers son père en disant :

— Papa, papa, j'ai vu un petit jeune homme qui n'a pas de pattes.

Anne (quatre ans) est en contemplation devant sa sœur de quelques jours.

— Tu vois, explique maman, quand tu étais petite, tu étais pareille.

— Alors, c'est pratique, mes photos pourront resservir.

Pierrot, lui, est inquiet. Après avoir écouté gazouiller bébé, il demande :

— Maman, le petit frère, il doit pas être français. Je ne comprends rien de ce qu'il dit.

Guy (dix ans) ne comprenait rien non plus :

— Ce sont les mamans qui font les enfants. Alors, pourquoi peut-on dire que je ressemble à papa?

— Je t'expliquerai cela tout à l'heure, répond maman.

— Oh! moi, je sais, dit Gérard (neuf ans). C'est parce que papa a mis son grain de sel.

Ce grain de sel, les savants l'appellent un gène. Il y en a quelque quarante mille, responsables aussi bien de la couleur des cheveux ou des yeux de l'enfant que de la forme de son nez, de ses dispositions pour les maths et, hélas! de certaines maladies ou infirmités.

Lucie, une voisine de ma cousine Todie, lui parlait d'un couple : un mètre cinquante-cinq, chacun.

— Ils se sont mariés cousins germains.

— Ils ont eu des enfants?

— Non, heureusement. A la troisième génération, ils auraient dansé tout debout dans une tabatière.

Sur le quai d'une gare, un voyageur expliquait à un ami :

— Dans ma famille, tout le monde a eu des enfants. Mon arrière-grand-père a eu des enfants, mon grand-père a eu des enfants, mon père a eu des enfants.

Alors qu'un avocat d'Orléans (1) affirmait :

— Dans la famille de mon client, on est célibataire de père en fils. Je rectifie, de mère en fille.

Autre bel exemple d'hérédité, Jean-Sébastien Bach, fruit de trois générations de musiciens, sans oublier son arrière-grand-père, Veit Bach, un joyeux boulanger qui chantait à longueur de journée.

Pour moi aussi l'hérédité a joué, puisque mon père et ma mère chantaient faux et que je chante doublement faux. Cependant, il existe dans ma Dordogne natale une recette pour qu'un enfant chante juste : on confie à une bonne musicienne le soin de couper, la première fois, les ongles de pied du bébé. Mais cela doit se faire au-dessus de la clôture d'un jardin et de préférence près d'un rosier. Comme j'ai passé les quatre premiers mois de mon existence dans du coton, il ne pouvait être question de m'appliquer cette recette. Voilà pourquoi je chante faux.

Mes biographes ne pourront donc pas dire que j'ai séduit Jehanne en allant roucouler des sérénades sous ses fenêtres. Au contraire, les premiers temps de notre mariage, elle croyait que je faisais exprès de chanter faux. Mais, mais je raconte ma vie et j'avais promis de ne pas le faire.

Changeons de sujet : une étudiante américaine devait traduire en français l'histoire d'un jeune homme qui avait fait la conquête d'une demoiselle, grâce à la beauté de sa voix. Cela donna :

Elle est tombée sur son organe. Et c'était beau, c'était l'amour.

---

(1) On s'étonnera peut-être de trouver dans ce livre un nombre assez important de perles dues aux avocats du barreau d'Orléans. Ce n'est pas parce qu'ils en font plus que leurs confrères, mais tout simplement parce qu'ils ont bien voulu m'autoriser à consulter le sottisier où ils ont l'humour de noter leurs perles et de s'en amuser ensuite.

*
**

En 1941, un petit Jean-Pierre se promenait avec
sa mère :

— Regarde, dit-elle, voici la clinique où tu es
né.

— Ah! est-ce qu'il faut faire la queue pour venir
au monde?

L'Occupation fut aussi le temps des cartes d'ali-
mentation. Une fillette, qui voyait sa mère revenir
de la maternité avec le petit frère, demanda :

— Il t'en a fallu beaucoup de tickets de viande?

François (trois ans et demi) regardait sa petite
sœur Bernadette, en train de téter. D'un air
dégoûté, il dit :

— Moi, j'aime pas le lait de viande. J'aime
mieux le lait de casserole.

Jacques (quatre ans) s'informe :

— Quand j'étais petit, maman, tu m'as nourri
avec ton lait?

— Oui.

— Mais tu mangeais de l'herbe?

Sous l'Occupation, il y a eu des périodes de
famine où l'on aurait bien mangé de l'herbe. Le
lait était rationné et les femmes qui allaitaient
leur enfant avaient droit à une ration supplémentaire. Une jeune mère allait la chercher chaque
matin et, au retour, il était juste l'heure de la
tétée.

Un jour, Josette (six ans) poussa un gros soupir
et dit à sa mère en train de donner le sein à bébé :

— Comme je te plains, ma pauvre maman,
d'être obligée d'aller te faire remplir tous les
matins.

Le temps des restrictions alimentaires passé,
les mères purent choisir :

— Docteur, disait une dame, je nourris mon

bébé uniquement au sein. Peut-être ferais-je mieux de le couper avec du lait de vache?

— Oh! certainement pas, le lait de la mère est bien meilleur que celui de n'importe quelle autre vache.

Curieusement, l'allaitement maternel garde de chauds partisans parmi les jeunes. Ainsi ce candidat au certificat d'études de l'Essonne qui écrivit en 1971 : *Les avantages de l'allaitement maternel, c'est que toute la famille peut en profiter.*

Même son de cloche à Besançon où, en 1957, une candidate au C.A.P. expliqua : *L'avantage de l'allaitement maternel, c'est que la manipulation est réduite au strict nécessaire.*

Quant à l'allaitement mixte, selon un candidat au certificat d'études de Saône-et-Loire, c'est *quand la maman a des jumeaux et donne un sein à la petite fille et l'autre au petit garçon.*

Bébé prend de l'âge, donc de l'appétit, et le médecin conseille :

— Vous mettrez dans le premier, le troisième et le cinquième biberon, une cuillère à café arasée de farine.

— Docteur, mon mari a bien un bol à raser, mais pas de cuillère à raser.

Bébé doit grossir. Pour en être sûre, une infirmière vient de peser un nourrisson complètement chauve.

— Toi, au moins, dit-elle, tu as un bon caillou.

Aussitôt, la mère exige de repasser devant le médecin qu'elle supplie en pleurant :

— Je veux savoir la vérité. L'infirmière a dit que mon enfant avait le caillou.

Un commerçant du Rhône disait à une grand-mère :

— Faites mes félicitations à votre fille et à votre gendre, il paraît qu'ils viennent d'avoir un fils superbe.

— Oh! oui, je crois bien qu'il est beau. Il pèse dix livres sans la tête.

Et je n'aurai garde d'oublier l'important conseil donné par une élève d'une école ménagère : *Il faut toujours nettoyer les oreilles d'un bébé avec une allumette ou un bâtonnet garni de coton, mais jamais avec la pointe d'un couteau.*

> *On nous apprend à vivre quand la vie est passée. Cent écoliers ont pris la vérole avant que d'être arrivés à leur leçon d'Aristote, de la tempérance.*
>
> Montaigne : *Essais.*

LE TEMPS D'APPRENDRE

CHRISTOPHE (quatre ans) était tout heureux de son bel autobus à étages.

— C'est un bus anglais, explique maman.

Quelques jours après, Christophe aperçoit dans la rue deux chats « très affairés » :

— Maman, viens vite voir. Il y a deux chats qui jouent au bus anglais.

Les animaux donnent, sans le vouloir, des cours d'éducation sexuelle qui ne sont pas toujours très bien compris par les élèves.

A Rueil, il pleut et Philippe (quatre ans) s'écrie :

— Maman, regarde comme il est gentil le gros chat. Il est monté sur le petit pour le mettre à l'abri.

A Milly-la-Forêt, un moutard aperçoit deux chiens en pleine action :

— Tiens, dit-il, un chien dépanneur.

François (cinq ans) était en vacances à la campagne. Un jour, il montre un magnifique coq à sa mère :

— Tu sais, maman, ce coq-là est très paresseux.

— Pourquoi donc?

— Il veut pas marcher et tout le temps il

essaye de se faire porter par une poule. Elle veut pas, alors il la poursuit.

Édith (cinq ans) a vu une vache beaucoup plus volumineuse que les autres.

— C'est parce qu'elle va avoir son petit veau, explique grand-mère.

De retour à Paris, Édith remarque la taille très arrondie de la boulangère :

— Madame, demande-t-elle, c'est quand que vous aurez votre petit veau?

Il n'est pas tellement facile d'expliquer à sa fille ou à son fils comment se font les enfants. On risque de s'entendre demander comme par ce petit garçon :

— Je n'ai pas bien compris, papa. Fais-en un tout de suite à maman.

Beaucoup de parents s'en tirent en parlant de la fameuse « petite graine », qui grandit près du cœur de maman et devient un joli bébé.

Cette belle histoire laissa sceptique Olivier (trois ans) :

— Mais, maman, c'est pas possible. Comment tu faisais pour m'arroser?

Mon Jérôme de fils avait quatre ans lorsqu'il apprit que la jeune fille qui s'occupait de lui était fiancée.

— Il faut faire très attention, Teresa, lui dit-il. Quand vous vous promenez avec votre fiancé, il peut très bien entrer dans un magasin, acheter des graines et les mettre dans sa poche sans que vous le voyiez. Quand il arrive chez vous, il vous met une graine et après c'est trop tard, vous avez un enfant.

Vers la même époque, Jérôme me donna une autre explication, pêchée je ne sais où :

— J'ai compris, papa, on branche sa zizitte, ça fait comme de l'électricité et après il y a un bébé.

Par la suite, il devait oublier tout cela, au point

de ne plus croire que les enfants viennent du ventre des mamans. Car il est difficile de bien se faire comprendre sans dessins, et ces dessins doivent être suffisamment beaux. D'où l'idée de demander à Raymond Busillet d'illustrer le livre qui m'avait manqué pour Jérôme.

Ce livre, *le B... A... BA de l'éducation sexuelle*, parut en 1969, mais il était en avance sur l'évolution des mœurs et il effaroucha nombre de parents et même de libraires. Curieusement, il fut plus apprécié en Belgique qu'en France. Peut-être parce que l'éducation sexuelle est venue du froid scandinave et qu'elle a traversé la Belgique avant la France.

Le B... A... BA de l'éducation sexuelle eut tout de même quelques milliers de lecteurs, parmi lesquels Anne (sept ans) qui s'écria :

— Montrer les fesses à mon mari, ça jamais ! Je lui demanderai sa graine et je la mettrai moi-même.

Une question m'a souvent été posée :

— A quel âge les premières leçons d'éducation sexuelle ?

— Cela dépend des enfants, mais toujours plus tôt que vous ne l'imaginez.

Seulement pas avec n'importe quel livre. Une lycéenne m'a raconté qu'à douze ans elle chipa un bouquin dans la bibliothèque de son père.

— J'ai lu une page expliquant ce que l'homme devait faire à la femme. D'abord ci, puis ça. On aurait dit une recette de cuisine et j'ai regretté d'avoir pris ce livre.

Donc pas trop tard, mais pas trop tôt non plus. A moins de faire comme Marie-Hélène :

— Le jour de la naissance de notre fille Perrine, Michel et moi nous sommes penchés sur son berceau et nous lui avons expliqué comment elle avait été conçue et mise au monde.

J'ai vu la plus jeune initiée de France. Elle avait alors près de deux ans. Elle ne m'a pas paru traumatisée par ces révélations précoces.

*

En janvier 1968; Daniel Cohn-Bendit reprocha à M. Missoffe, ministre de la Jeunesse et des Sports :

— Votre fameux Livre blanc sur la jeunesse ne contient pas une seule ligne sur la sexualité.

— Si vous avez des problèmes de cet ordre, répondit le ministre, personne ne vous empêche de plonger dans la piscine.

Les événements de mai 68, qui firent de Daniel Cohn-Bendit une éphémère vedette, ont aidé l'Education nationale à découvrir que la jeunesse avait peut-être des problèmes sexuels et qu'il fallait aller au-delà de l'explication (détaillée, il est vrai) de la reproduction du fucus vésiculeux, du polypode vulgaire, de l'angiosperme et de la souris. La reproduction de cette dernière étant assez comparable à celle de l'homme, il y avait déjà un progrès sur l'époque de mon bachot (1940) où l'on ne parlait même pas des souris.

L'escalade est tout de même lente. En 1973, on a vu l'annonce de l'éducation sexuelle au lycée[1] faire la une des journaux, mais à l'usage le contenu des cours s'est révélé bien maigre.

Lorsque j'écrivais, en 1962, dans *la Foire aux cancres*, que l'éducation sexuelle était parfaitement superfétatoire, parce que les professeurs auraient toujours un ou deux ans de retard, quand ce ne serait pas cinq ou six, je n'avais pas tout à fait tort. Pas tout à fait raison non plus, car il y a des enseignants et des éducateurs qui élar-

---

[1] Les textes officiels préfèrent parler d'*information sexuelle*, comme si, en ce domaine, informer n'était pas déjà éduquer.

gissent suffisamment le débat pour répondre aux
questions que se posent les élèves.

Bah! l'essentiel est que tout cela apporte des
perles à mon moulin. En attendant, Laurent
(douze ans) est revenu du cours de sciences naturelles. Il raconte à sa mère que le professeur a
expliqué que certains animaux, comme l'escargot,
étaient hermaphrodites.

Perplexe, Caroline (neuf ans), sœur de Laurent,
réfléchit un moment sur cette révélation, puis
dit :

— Quel dommage que les filles ne soient pas
comme ça. Elles n'auraient plus besoin des garçons pour avoir des bébés.

L'annonce des cours d'éducation sexuelle
inquiétait Marie-Hélène (onze ans), à qui sa mère
avait déjà expliqué beaucoup de choses :

— Si on sait tout, dit-elle, on va s'ennuyer.

L'idéal est bien sûr que les parents se chargent
eux-mêmes de l'éducation sexuelle de leurs
enfants. En pratique, combien qui n'osent pas, en
sont incapables ou même n'y pensent pas du tout!

Un professeur m'a raconté que, dans sa classe
de sixième, plus de la moitié des élèves, et surtout
des garçons, ignoraient le rôle du père dans la
procréation.

Jean-Marc (sept ans) avait parlé à sa mère d'un
petit camarade noir :

— Pourtant, dit-il, sa maman est blanche
comme toi.

— C'est son papa qui est noir, alors?

Jean-Marc rougit de colère :

— Tu m'as menti! Tu m'as dit que c'étaient les
mamans qui faisaient leurs petits et lui, tu vois,
c'est son papa.

Francis (huit ans) voulait savoir si sa souris
blanche aurait des petits.

— Il faudrait lui trouver un mâle. Tu sais bien

qu'il faut un papa et une maman pour avoir des enfants. Chez les animaux, c'est la même chose.

— Tu dis toujours ça, mais je ne te crois pas. Et les mères célibataires, alors?

L'éducation sexuelle posera d'autant moins de problèmes qu'elle sera commencée plus tôt. Seulement, il se trouve toujours des gens pour s'indigner. Tel ce Lyonnais écrivant en 1972 à un député, parce que l'on avait parlé de contraception au cours de séances d'éducation sexuelle particulièrement destinées aux enfants (il ne précisait pas de quel âge) :

Vraiment on se demande si ce n'est pas les affaires de proxénétisme qui ont amené sur notre région cette vague de sadisme.

Inversement, le professeur Hurdon estime que la théorie ne suffit pas :

— Un peu comme si l'on confiait le volant d'une auto à des gens qui connaissent le code de la route, mais qui n'ont jamais pris de leçons de conduite.

La lecture de certaines revendications laisse rêveur. Cela finira-t-il par une épreuve sexuelle au bachot?

— Une épreuve théorique, passe, m'a dit Jean-Hugues, mais j'imagine déjà tout le sel d'une épreuve pratique, si l'on fait appel à certaines examinatrices actuelles.

Verra-t-on les proviseurs français imiter le proviseur africain dont m'a parlé une lectrice?

En 1968-69, elle était professeur dans une ville du Dahomey où son fils, élève de seconde, lui montra un jour un bâtiment d'apparence banale. Elle apprit qu'il était réservé à des dames pratiquant ce que l'on appelle pudiquement « le plus vieux métier du monde ». Elle apprit aussi que son fils avait plusieurs camarades qui s'y rendaient le dimanche avec leur père. Quant aux pensionnaires, le proviseur leur signait des bons de sortie.

Ce qui lui permettait peut-être d'avoir une heureuse influence sur leur travail.

— Voilà comment je comprends l'éducation sexuelle, s'écria le professeur Hurdon. Étant entendu qu'il devrait s'agir de bâtiments officiels dont les pensionnaires auraient le statut de fonctionnaires.

On imagine déjà les élèves de l'E.N.A. hésitant entre l'Inspection des finances et la Sexualité sociale (si ce terme est choisi).

Rien ne prouve cependant que les jeunes lycéens aient envie de faire leurs premières armes dans les établissements officiels. Combien aimeraient mieux les amours buissonnières?

— Contrairement à son aînée, m'a dit un médecin, ma cadette ne me pose jamais de questions sur les problèmes sexuels. Alors qu'en maths ou en physique elle ne se prive pas de faire appel à moi.

Beaucoup de jeunes préfèrent les renseignements plus ou moins erronés des copains aux explications des adultes. Ou même à la lecture d'un manuel d'éducation sexuelle, sauf s'il a été prêté par un camarade.

— Je ne crois guère à l'utilité des livres, m'a dit Pierre. L'amour n'est pas une science, c'est un art.

Un art où l'on peut réussir avec un minimum de connaissances théoriques, mais où il n'est pas interdit d'avoir la curiosité d'en savoir davantage. C'est une des raisons qui m'avaient incité à écrire, en 1968, mon *Simple Dictionnaire d'éducation sexuelle.*

J'étais en particulier très ignorant sur le plan anatomique. Quand même pas au point de ce président de la Cour d'assises de Tours, déclarant :

— Vous avez été examiné par le docteur R., un brave homme d'ailleurs. Il a examiné tous vos organes génitaux, y compris le foie.

Je n'aurais pas non plus répondu comme ce Marseillais lors d'un examen d'infirmier militaire :

— Les testicules servent à faire l'urine.

Ils sont aussi fort sensibles et l'on comprend cet homme se plaignant au tribunal :

— Il essayait de me porter un coup de pied aux organes qui caractérisent mon genre.

Ces petites choses sont sensibles, aussi bien moralement que physiquement. Comme l'expliquait une dame à son avocat :

— La contrariété lui est tombée dans les parties et maintenant ça lui est remonté aux yeux.

En bon cancre, j'ai longtemps cru que les testicules fabriquaient le sperme, alors qu'en réalité ils produisent seulement les spermatozoïdes nécessaires à la fécondation, plus des hormones qui vont dans le sang. Je n'ai cependant jamais pensé, comme au temps d'Hippocrate, que le testicule droit engendre les garçons et le gauche les filles.

Dans l'Antiquité, on ignorait la composition exacte du sperme, en qui les uns voyaient un résidu alimentaire, d'autres l'écume du sang, d'autres encore un écoulement de la moelle épinière. En réalité, c'est une espèce de cocktail auquel participent, outre les testicules, les vésicules séminales, la prostate, les glandes de Cowper et les glandes de l'urètre.

Avant d'écrire mon *Simple Dictionnaire d'éducation sexuelle,* je n'avais guère entendu parler de la prostate. Il est vrai que le général de Gaulle l'a rendue célèbre et surtout qu'elle est à l'origine de bien des perles. A commencer par la dame qui disait un jour :

— On m'a opérée de la prostate et c'est remonté jusque-là.

J'ai mal aux os verts, écrivait une autre dame.

Chargés de la production de l'ovule nécessaire à la fécondation, les ovaires sont une exclusivité féminine. Ce qui n'empêcha pas une brave Cévenole de raconter à son dentiste :

— J'ai fait voir mon mari au docteur.

— Que lui a-t-on trouvé?

— Il a les ovaires gonflés.

Une Charentaise expliquait :

— Docteur, le chirurgien m'a fait la grande opération. Il m'a enlevé l'utérus de la matrice, maintenant il ne me reste plus que la matrice.

Alors qu'une autre Charentaise disait :

— J' suis-t'y en retard, monsieur le docteur? C'est que j' suis venue par la matrice.

— Moi aussi, mais il y a bien longtemps.

En revanche, si vous lisez dans une mairie : *Prière de remettre les matrices en place après usage*, il ne faut pas croire à une perle. Il s'agit tout simplement des matrices cadastrales, c'est-à-dire du répertoire des propriétaires de la commune.

D'où ce dialogue entre deux avocats :

— Je défie madame de montrer sa matrice à la cour.

— Non, elle ne la montrera pas.

Renaud (quatre ans) demandait à l'étudiante qui le gardait :

— Dis, tu sais ce que c'est un spermatozoïde? C'est un petit ver qui, avec un ovule, forme un petit enfant. Tu la connaissais pas, cette histoire-là, hein?

Les spermatozoïdes sont des sortes de têtards, avec une longue queue qui leur permet de circuler. L'arrivée dans le ventre de la femme ressemble un peu à une course de cross, avec plusieurs centaines de millions de concurrents. A la vitesse d'un ou deux centimètres à la minute, ils franchissent le col de l'utérus et remontent à la recherche de l'ovule. Il n'y a cependant pas toujours de vainqueur. C'est seulement en cas de rencontre que l'ovule fécondé descend dans l'utérus et se niche dans la muqueuse. La fabrication du bébé est alors commencée mais, contrairement à ce que croyait une jeune femme de Biarritz, le cordon ombilical n'est pas formé par la queue du spermatozoïde.

— Maman, demandait Jérôme (cinq ans), quand j'étais dans ton ventre, tu ne me voyais pas?

— Non.

— Alors tu m'as fait sans me voir? Et mon frère aussi, tu l'as fait sans le voir?

— Oui.

Un temps de réflexion et Jérôme (au fait, ce n'est pas le mien) s'écria :

— T'en as de la veine qu'on soit bien fichus!

*
**

Une Anglaise avait deux fils : John (quatre ans) et David (deux ans et demi) qui était passionné par les ciseaux. En trouvait-il une paire, il s'empressait de couper tout ce qui passait à sa portée : nappe, rideaux, lacets de souliers.

Naissance d'une petite sœur. Pour la première fois, John et David très intéressés assistent à la toilette de la demoiselle. Tout à coup, on entend la voix un peu angoissée de John qui dit :

— Maman, je crois bien que David a fait encore une bêtise.

Une fillette de quatre ans, voyant son frère nu, découvrit une certaine différence.

— Dis, maman, demanda-t-elle, qu'est-ce qui est le plus pratique?

Une autre fillette voulait que sa mère lui achète « la même drôle de manivelle ».

— En fait, m'a dit un enseignant, les jeunes passent directement des termes de bébés qu'utilisent leurs parents aux mots grossiers en usage parmi leurs camarades. Ils n'ont pratiquement jamais l'occasion d'employer les vrais termes.

Au cours de sa toilette, Evelyne (quatre ans) était intriguée par son sexe :

— A quoi ça sert?

Gênée et embarrassée, maman répond :

— Je t'expliquerai quand tu seras plus grande.

Evelyne réfléchit puis, rayonnante, s'écrie :

— J'ai compris, ça sert à décorer.

Ça sert à beaucoup d'autres choses et le vagin sait si bien s'adapter aux nécessités de l'acte sexuel et de l'accouchement que l'on comprend mal pourquoi le mot trivial de trois lettres qui le désigne est synonyme de bêtise.

Le terme non moins trivial qui désigne les testicules est également synonyme de bêtise. C'est un « gros mot » que l'on invite les enfants à ne pas répéter. Une petite fille le rappelait à son frère :

— Maman t'a dit que tu dois pas dire ça.

— Oh! je sais que géographiquement ça s'appelle les libellules.

Ce qui n'empêchait pas un Charentais, peut-être vantard, d'affirmer :

— Docteur, mon hercule est un peu gros.

Libellule et *hercule* figurent dans mon édition 1953 du *Nouveau Petit Larousse illustré*, de même que testicule et vagin. En revanche, on n'y trouve pas plus verge (au sens anatomique du terme) que pénis. Renseignements pris, ces mots sont apparus dans l'édition de 1958, à croire qu'il n'y a pas tellement longtemps que le sexe de l'homme a un nom en français.

Cela expliquerait peut-être qu'une brave bourgeoise bordelaise, voulant avoir l'air dans le vent, se soit écriée :

— Il est extraordinaire Maurice Chevalier avec ses quatre-vingts verges!

Si l'éducation sexuelle était confiée aux professeurs de géographie, ils enseigneraient que la vulve est comparable à une vallée. Limitée à l'ouest et à l'est par deux replis montagneux, les petites lèvres et les grandes lèvres, elle est dominée au nord par le mont de Vénus. Car il fallait bien que la déesse de l'amour donne son nom à un point géographique. Peut-être aurait-il mieux valu lui réserver le clitoris qui se trouve au nord de la vallée et qui, comme chacun sait ou devrait savoir, est un des pôles du plaisir sexuel.

L'apparition du clitoris dans *le Petit Larousse* remonte aussi à 1958 et il faut espérer que maris et amants n'auront pas attendu pour le découvrir.

Dans certains pays d'Afrique et d'Asie, les hommes l'ont découvert depuis longtemps, mais, hélas! pour en pratiquer l'excision. Horrible mutilation que rien ne justifie, sinon le désir de mieux assurer l'asservissement de la femme.

Un pensionnaire d'un foyer d'adolescents de Beauvais feuilletait une encyclopédie. Montrant un dessin, il demanda :

— Ça, m'sieur, c'est un impuissant?

— Mais non, les circoncis ne sont pas impuissants, répondit l'éducateur.

Ainsi, après des années d'angoisse, le malheureux garçon apprit que la circoncision est une opération banale. Pratiquée soit pour des raisons médicales, soit pour des raisons religieuses, elle a ses partisans et ses adversaires, mais personne, sauf des gamins malveillants, n'a jamais prétendu qu'elle rendait impuissant.

Il ne faut pas confondre circoncision et castration. Chez l'homme, celle-ci donne des résultats différents selon l'âge auquel elle a été pratiquée. On sait que la castration permet de fournir en eunuques les harems orientaux, mais en Italie, jusqu'au XVIIIᵉ siècle, on castrait aussi les jeunes chanteurs dont on voulait faire des soprani. Pour abolir cet usage, le pape Clément XIV dut interdire aux eunuques de chanter dans les églises.

La castration peut être une horrible vengeance, comme dans le cas d'Abélard. Pauvre Abélard! Philosophe et théologien très en avance sur son temps, les caprices de la postérité font qu'il est aujourd'hui moins célèbre pour ses œuvres que pour la triste fin de ses amours avec Héloïse.

A la maternelle, deux petits garçons se disputaient :

— Je vais te châtrer, menaçait le premier, un fils de vétérinaire.

— Que dites-vous? s'inquiète l'institutrice.

— Philippe dit qu'il va me châtrer et je veux pas devenir chat.

*

Amalia (deux ans) m'avait annoncé la mauvaise nouvelle :

— Jean-Marie a raté son bac. Pas de vélomoteur!

— Et toi, qu'est-ce que tu auras, si tu passes ton bac?

— J'aurai de la poitrine.

Car Amalia, outre qu'elle s'exprimait remarquablement pour son âge, avait trois ambitions : aller à l'école, posséder un cartable et avoir de la poitrine.

La poitrine ne vient cependant pas aussi vite que l'espérait Amalia. Différent selon les races et les climats, l'âge de la puberté se situe, pour les petites Européennes, entre douze et quatorze ans.

Un père écrivait à l'institutrice de sa fille : *La puberté l'a touchée depuis deux jours de son doigt de coquelicot.*

Une mère pense généralement à prévenir sa fille qu'un jour prochain elle saignera légèrement et que ce sera une chose normale. Mais une mère ne doit pas oublier que sa fille peut être « indisposée » beaucoup plus tôt qu'elle, parfois même avant dix ans. Non prévenue, la malheureuse enfant risque de s'imaginer le pire, par exemple que ses intestins s'en vont en morceaux et qu'elle va mourir.

Ou bien c'est le médecin qui lui demandera :

— Vous avez vos règles?

Et, comme cette petite Niçoise de treize ans, elle répondra ingénument :

— Non, je les ai laissées en classe, dans mon bureau.

Les maris savent qu'il y a des jours où leur femme n'est pas maîtresse de ses nerfs. Les jeunes gens l'oublient souvent et ne pensent pas que la mauvaise humeur de telle de leurs amies peut être tout simplement due à des règles difficiles.

Une dame disait à un dentiste de Nice :

— Je devais venir jeudi, mais je pouvais pas. J'étais dans mes affaires.

Tandis qu'un médecin d'Angers demandait :

— Comment êtes-vous réglée?

— Par C.C.P., docteur.

Une fillette de douze ans avait manqué la leçon de gymnastique. Le lendemain, le directeur du collège reçut la lettre suivante :

J'ai l'honneur de vous faire connaître que ma fille, atteinte depuis deux jours par le retour d'âge, doit être dispensée de gymnastique selon l'avis de notre médecin.

Contrairement à ce que croyait cette brave

mère, le retour d'âge (ou ménopause) n'est pas l'apparition des règles mais leur disparition, au moment où la femme cesse de produire des ovules, c'est-à-dire entre quarante et cinquante-cinq ans.

On se plaint alors de troubles divers. A commencer par une Niçoise qui expliquait à son dentiste :

— Mon médecin m'a dit que c'est ma ménopause qui me descend dans les dents.

Les réactions des patientes sont parfois imprévisibles. Une dame que le médecin avait examinée, en se servant d'un doigtier, était furieuse :

— Il a pris des gants, comme si je n'étais pas propre.

Propres, elles ne le sont pas toutes et un autre médecin m'a parlé d'une ravissante jeune femme de vingt-huit ans, mariée à un riche homme d'affaires et qui se refusait à toute ablution :

— C'est pour les femmes de mauvaise vie.

Elevée dans un couvent où l'on se baignait encore en chemise, elle se trouvait dans un état fort déplaisant.

— Je suis quand même arrivé à la convaincre, raconte le médecin, et le mari m'a dit : « Docteur, vous avez sauvé mon ménage! »

La première leçon d'éducation sexuelle, dans les lycées et collèges, devrait être consacrée aux bienfaits d'une toilette complète et quotidienne. Conseil qui s'applique d'ailleurs aussi bien aux filles qu'aux garçons.

Chacun a sa manière de concevoir l'hydrothérapie. En 1859, dans ses *Lettres à une jeune fille*, Mme Bourdon citait ce conseil d'un spécialiste :

Une serviette bien humide passée sur le corps, une serviette bien sèche pour essuyer, c'est l'affaire d'une demi-minute.

Et, paraît-il, cela mettait à l'abri des rhumes et des coqueluches.

La bonne dame ajoutait : *Quant aux bains entiers, je ne vous exhorte pas à en faire un trop fréquent usage; un bain par mois me semble suffire; il n'est pas nécessaire à la santé qu'on fasse élection de domicile dans une baignoire.*

Avec ou sans baignoire, une bonnne hygiène générale et surtout une bonne hygiène intime sont l'assurance d'éviter des petits ennuis que trop de femmes considèrent à tort comme normaux.

Ce qui vaut pour le bas vaut pour le haut. Vers 1950, un médecin d'un village proche du Mans examina une campagnarde et lui trouva la bouche toute « abougrie ».

— Vous avez bien une brosse à dents? demanda-t-il.

— On en a une.

Et, se tournant vers son mari :

— Oui, mais tu sais bien, on l'a prêtée à la voisine pour son mariage.

*
**

Ma foi, je fus bien de la fête,
Quand je fis chez vous ce repas,
Je trouvai la poudre à la tête,
Mais le poivre était vers le bas.

Près de quatre siècles ont passé depuis que Mathurin Régnier écrivit ces lignes et son poème pourrait encore être d'actualité. On aurait tort en effet de croire que les maladies vénériennes ont complètement disparu. On aurait encore plus tort d'essayer de se soigner soi-même et la déroute des tréponèmes ou des gonocoques sera d'autant plus complète que l'assaut aura été donné à temps.

« Trois minutes avec Vénus, trois ans avec Mercure », disait-on avant que les antibiotiques permettent une victoire rapide, et il suffit de voir comment finit Guy de Maupassant pour comprendre quel mal affreux était alors la syphilis.

Même avec les antibiotiques, le fait de découvrir que l'on a attrapé la vérole ne fait pas plaisir à tout le monde. Ce fut le cas d'un ferrailleur camerounais qui, en 1956, écrivit à l'O.N.U. la lettre que l'on va lire. Cette lettre fut retournée au haut-commissaire de la République pour complément d'information. Je la dois à l'amabilité d'un médecin militaire. Inutile de dire que, comme moi, il partageait la légitime indignation de l'auteur de la lettre (1).

Monsieur, c'est pour vous chanter mon affaire que j'ai eu avec la fille B... Clémentine qui n'est pas encore réglée par la suite des mauvaises combines du nommé K... Telesphore qui fait un manœuvre à la Société B... et que je vais élucider parce que pas encore recues les indemnités de dommage et intérets que je vous réclame dans ma pénétrente douleur. La dite de fille B... m'a été donnée comme fiancée par son grand frère Boniface, qui fait réparateur de vélos à B... J'avais payé la dot en trois fois devant les témoins T... Pascal, O... Timothée, serre frein et feu B... Barnabas qui, avant de décéder piteusement était bien vivant comme photographe sis à C...

Devant les personnalités précités, j'ai payé en tout à Boniface 20 000 frs comme dot le premier versement était en Janvier 15 000 frs le deuxième était en juin 1 000 frs et le troisième c'était en septembre avec 2 000 frs. J'ai donné aussi à Boniface 2 cabris dont une femelle qui avait gagné l'enceinte qui l'a bouffé intégralement tout seul, comme je l'ai appris par la mère et la fille B..., un tube

(1) J'ai bien entendu supprimé les noms des personnes mises en cause, ne laissant subsister que leurs prénoms et une initiale. L'orthographe a, selon la formule, été « vigoureusement respectée ».

aspirine usine du Rhône pour la petite sœure qui avait de l'eau tite dans ses oreilles, une moustiquaire (valeur 1800 frs) un calcon en nylon vert (valeur 575 frs) au commerce africain, un mouchoir de tete et une petite bouteille de parfum chère amie pour sa fiancée P... Enfin trois bouteilles de BEAUFORT et trois de vin de maïs plus une négrita nous avons décidé de boire de suite chez Boniface comme le veut la coutume en manière d'arrangement.

Il y avait chez Boniface au moment de la consommation du délit et de ces boissons, Boniface, moi et Barnabas. Ce dernier qui avait bien tenu à garder la bouteille de Négrita pendant notre chemin de chez moi à chez Boniface était bien soulé en arrivant par manière il s'arrêtait soit disant pour pisser mais comme on s'est aperçu avec colère après il avait bu presque toute la Negrita et il restait seulement un tout petit peu pour nous. On commençait à discuter beaucoup sur la route, et les policiers sont venus nous dire brutalement qu'il fallait pas geules et qu'il fallait foutre le camp tout de suite? Froissés par ces injures implaccables on s'est recueillies chez Barnabas qui s'était mis à pleurer parce que comme il disait tout cela s'était de sa faute.

Chez Boniface, on a bu le vin de maïs, mais B... ma fiancée a bu les trois bouteilles de BEAUFORT et le restant de Negrita dans la bouteille. Comme ils étaient fatigués tous les deux par les fatigues de cette petite fête familiale et coutumière, ils ont dit qu'ils voulaient se reposer. Boniface et moi on leur a dit d'accord et on est allé danser au « petit coin d'Amour » à N... On s'amusait gentiment avec gaieté quand d'un seul coup Barnabas est venu crier qu'un grand malheur était arrivé à la case.

Il dit que pendant qu'il était en proie au som-

meil réparateur il avait brutalement et traitreuse-
ment été réveillé par un bruit épouvantable qui
était en provenance du lit ou reposait ma fiancée
B... Celle-ci gémissait très fort et pensant qu'elle
'était tombée malade brusquement de fièvre il
nous dit qu'il s'était approché de son lit pour lui
demander le pourquoi de ses lugubres gémisse-
ments. Il recut alors un grand coup de poing sur
la gueule et une voix d'homme lui dit : « voilà ta
bordelle couillée ». Ce pourquoi il était venu nous
rendre compte pour attraper le bandit et le porter au Commissariat de police de N... Encore
troublé par la violence de l'attaque traitresse, il
nous dit qu'il lui fallait un Beaufort pour se
remettre le corps. Boniface a payé, on a danse
encore un peu et on est alle voir a la case. Ma
pauvre fiancée dormait toujours vu qu'on l'ene-
tendait bien ronfler avec sonorité. On a allumé la
lampe primus à pression alors on a vu avec émotion que le bandit avait dans sa rapide précipitation gaspille la moustiquaire toute neuve (valeur
1800 frs) et déchire le calcon en nylon vert et tout
propre encore de ma fiancée B... avait l'honneur
de mettre pensant me faire plaisir par cette deli-
cate attention amoureuse. On a fait tout de suite
une enquête dans le quartier et interroger doucement par manière les gens pour savoir le curicu-
lum-vitae du bandit. On a rien su et B... ma fiancée était incapable d'émettré un son encore toute
remuée par la violence et la puissance de son
agresseur; ce qui a beaucoup étonné Barnabas qui
lui a dit comme cela : comment tu peu rien dire
maintenant et tout à l'heure tu gémissais très
fort. Boniface lui a dit comme cela qu'il ne devait
pas insulter sa propre sœur et que s'il ne se tai-
sait pas, il ne ferait plus son ami. Barnabas a dit
d'accord. Il est parti et comme moi aussi j'étais
très fatigué, je me suis couché avec ma fiancée.

Tout cela se passait il y a un mois. Mais il y a trois jours, je me suis trouvé malade avec la fièvre et de gros boutons en haut de la cuisse près de mon ventre, mon urètre était toute gonflée et dessus il y avait comme un abcès tout rouge qui, s'est étonnant ne me fait pas mal, malgré sa couleur et sa dimension. Au dispensaire le docteur qui m'a ausculté, m'a dit que c'était peu grave et comme c'était au pénisse, il fallait me donner la pénissilline très bon médicament pour la vérole. Il m'a dit qu'il fallait que je lui amène la femme qui m'a foutu ça; je suis revenu hier et le docteur lui a mis dedans une grosse pince comme la bouche du canard, et il a bien regardé, il a dit qu'elle avait le chancre de sifilice; ce qui ma étonné car a moi il a dit que ma maladie c'était la vérole qui, comme ont dit mes amis, est très nombreuse ici à D... et pas trop grave moins que le sifilise.

C'est pourquoi, je réclame dommages et intérêts à K... Télesphore, c'est lui qui a donné la maladie à ma femme et à moi comme l'appris le sorcier qui nous a fait le médicament.

Je porte plainte aussi contre les autorités administrative française qui a porté au Cameroun la présence de la vérole (et même la sifilice) pour nos, femmes et nous mêmes.

Je vous demande, Monsieur, de me faire rembourser le prix de la moustiquaire (100 Frs)(1) et du petit caleçon en nylon vert de ma fiancée (575 frs) par K... Télesphore qui est un vrai bandit, plus 500 frs que j'ai donné au sorcier, plus 10000 frs pour l'achat de la pharmacie A... de la penissilline pour ma vérole et la sifilise de ma femme.

Merci, Monsieur, plus rien à vous dire.

(1) Entre le début et la fin de la lettre, la moustiquaire a changé de prix. Sans doute une faute de frappe.

**
*

— Docteur, expliquait un Bordelais, ça me fait exactement comme quand on mange un radis très fort, mais ça me le fait dans la verge.

La blennorragie est chose ennuyeuse, surtout quand madame l'a rapportée des sports d'hiver et que monsieur a toutes la chance d'avoir été contaminé, lors des effusions du retour.

— Que faire, docteur?

— Dites à votre mari de venir me voir demain. Dans ces cas-là, il faut agir vite.

— Vous avez raison, docteur, il faut prendre le taureau par les cornes.

Le bon toubib en riait encore.

— Et comment cela s'est-il arrangé?

— Vous savez, on trouve toujours un prétexte pour faire une piqûre à quelqu'un.

La perle suivante a été pêchée dans l'Yonne :

— Cette jeune fille est une sainte metouche.

Il faut se méfier des saintes nitouches, ce qu'eut le tort d'oublier un habitant du Lot-et-Garonne. Retour de Lourdes, il dut se précipiter chez un médecin qui diagnostiqua une blennorragie :

— J'aurais pas cru, docteur, elle allait à la messe tous les matins.

Tandis qu'une dame de Tours s'étonnait :

— Quand même, docteur, moi qui n'ai été qu'avec des messieurs très bien.

Les Français appellent « partir à l'anglaise » le fait de s'esquiver sans rien dire. Les Anglais appellent cela « partir à la française ». Il en est de même des préservatifs qui sont des capotes anglaises au sud de la Manche et des capotes françaises au nord.

On les appelle également condoms, du nom

d'un médecin du XVIe siècle qui passe pour en être l'inventeur. En réalité, dans la Rome antique et probablement avant, on utilisait déjà des vessies, puis des intestins d'animaux.

Aujourd'hui, les préservatifs sont en caoutchouc synthétique siliconé. Dans certains pays, il existe des distributeurs automatiques et l'on peut même choisir des modèles illustrés d'un Mickey ou du sourire de la Joconde.

Moyen de contraception assez efficace, le préservatif est surtout indispensable en cas de rapport sexuel avec une prostituée ou une compagne de hasard. En France, ils sont vendus librement chez tous les pharmaciens.

A Solesmes (Nord), un gosse arriva chez l'un d'eux, avec un petit papier sur lequel était écrit : *Une boîte de préservatifs. Ça presse.*

Quelque part en Bretagne, une dame demande :
— Avez-vous des protectrices? C'est pour un cadeau de mariage.

Parfois, le client cite la marque :
— Des Durex, s'il vous plaît.

Et la jeune stagiaire s'informe :
— En comprimés, en sirop ou en suppositoires?

Un élève d'un collège parisien n'avait guère plus d'une douzaine d'années quand, à la suite d'un pari, il entra dans une pharmacie :
— Je voudrais des préservatifs.
— Six ou douze?
— Six, parce que douze je crois que ce serait un peu trop grand.

L'usage des préservatifs masculins est une bonne précaution, mais ce n'est pas toujours suffisant. La contagion peut se faire par voie buccale ou à cause d'une simple écorchure. Vers 1950, un professeur citait à ses étudiants la mésaventure d'un jeune homme trop galant qui, lors d'un défilé militaire, jucha quelques instants une femme sur ses épaules et qui, parce qu'il avait sur le cou un petit bouton à vif, contracta la syphilis.

Un médecin d'Angers m'a raconté qu'un jeune homme de dix-huit ans vint un jour consulter sa remplaçante. Celle-ci commença par l'interroger sur ses antécédents :

— J'ai eu des idylles broussailleuses.

La remplaçante pensa aussitôt à des amours dans les bois :

— Vous n'avez pas de bouton à la verge?

— Non, non, dit l'autre soudain affolé et refusant de se déshabiller.

Le soir, la mère arriva furieuse :

— Comme si c'était une question à poser à un jeune homme! Tenez, j'ai apporté ses radios. C'est marqué dessus : *hile broussailleux.*

— Docteur, disait une demoiselle à un médecin de Commentry, est-ce que vous avez ce qu'il faut pour se marier?

Étonné, le toubib demande des explications.

— Oui, je voudrais savoir si vous avez ce qu'il faut pour faire une radioscopie.

En France, « l'examen prépucial », comme l'appelait un jeune Basque, est obligatoire pour se marier, même quand on a plus de cinquante ans. Ce qui était le cas de deux campagnards.

« Peut-être le mariage d'un pré et d'un champ », pensa le toubib qui les recevait.

Les fiancés s'étaient mis sur leur trente et un. Pour la radioscopie, il fallut malheureusement défaire ce bel ensemble, y compris le corset baleiné de la fiancée. Après quoi, le couple réclama une photo.

— Comment, y en a point!

Furieuse, la fiancée roula son beau corset dans son sac à provisions et le médecin comprit qu'ils espéraient une photo de mariage, comme chez le photographe, dont ils auraient ainsi fait l'économie.

— Je n'ai jamais de culotte, racontait une Parisienne, mais j'en mets toujours une pour aller chez le docteur.

Tandis qu'une Bretonne disait à son toubib :

— Pour vous voir, j'ai mis ma culotte de femme honnête.

Un médecin de Seine-et-Marne m'a raconté qu'une Italienne résista un quart d'heure avant d'accepter de monter sur la table gynécologique où le mari dut lui enlever lui-même sa culotte.

— Déshabillez-vous, disait à une Bretonne un jeune toubib nouvellement installé dans le Finistère.

Il eut de la peine à ne pas rire, quand la dame reparut parfaitement nue, avec sa coiffe sur la tête.

— Il est fréquent, m'a raconté un autre médecin, de voir sortir du salon de déshabillage une dame nue et qui tient son sac à main.

Le voudraient-ils, les toubibs ont rarement le temps de bavarder autant que le souhaitent certaines clientes.

— Vous, docteur, disait une jeune personne, vous avez des tas de malades qui viennent parler avec vous et moi je n'ai qu'un médecin.

Car rien n'a tellement changé depuis l'époque où le duc de Lévis écrivait dans ses *Souvenirs et portraits* (1780-1789), à propos des dames de la haute société : *Je ne saurois comparer les sentiments de ces dames pour leurs médecins qu'à ceux que leurs grand-mères avoient, à la fin du siècle de Louis XIV, pour leurs directeurs; et dans le fait, la préférence que, de nos jours, le corps avoit obtenue sur l'âme, explique assez ce déplament d'affections.*

Un toubib du Havre m'a raconté qu'en 1967 il désigna la bascule à une de ses clientes :

— Montez là-dessus que je vous pèse.

Il sortit un instant et, quand il revint, la dame était étendue nue sur le divan qui était à côté de la bascule.

— Beaucoup de femmes s'imaginent que nous avons des trucs, m'a dit un toubib de la région parisienne. Pendant plus de trois mois, j'ai reçu chaque semaine un exemplaire du disque : *Moi, je veux faire l'amour avec vous.* Je n'ai jamais su qui me l'envoyait.

Il est vrai qu'il y a aussi des médecins vraiment entreprenants. Les visiteuses médicales les connaissent et les ont répertoriés : « A ne pas voir seule... » Ou peut-être : « A voir seule. »

Un galant toubib bordelais s'attaquait ainsi à une jolie visiteuse.

— Arrêtez-vous, docteur, ou j'appelle quelqu'un.

— Mais, madame, on n'a pas besoin d'être trois.

Dans la Sarthe, un sourd vint chercher le médecin et hurla sur un ton qu'il croyait être de confidence :

— Docteur, faut venir. C'est pour la mariée.

— Qu'est-ce qu'elle a?

— L'a plein des épicottements dans le divertissoir.

A la campagne, le terme de « divertissoir » est assez couramment employé par les dames qui ont des problèmes avec leurs « organes ». Une Parisienne préférait utiliser « jouissoir ».

Une Marseillaise se plaignait d'avoir « des démangeaisons à la nature », tandis qu'une Bretonne disait :

— J'ai mal au carrefour de la gaieté.

Une Charentaise devait prendre sa température :

— Docteur, le thermomètre, je le mets dans le fondement ou dans le passage?

De nouveau en Bretagne :

— Asseyez-vous, madame.

— Ah! non, ça me fait mal au croupion.

Dans certains cas difficiles, on consulte un spécialiste, un « ingénieur cologue ». A l'hôpital Saint-Joseph, à Marseille, l'un d'eux examinait une dame avec un spéculum.

— Docteur, j'étouffe.

— Allons, ne me faites pas croire que c'est par là que vous respirez.

Le mari n'est pas toujours satisfait du médecin de sa femme. En 1967, un Girondin écrivit pour se plaindre :

Monsieur le docteur,

Je suis venu vous écrire au sujet de ma femme... La dernière fois, elle a passer en consultation devant votre bureau. Depuis que vous lui avait passer votre appareil pour l'examiner, les sensations ne sont plus pareil et elle souffre des reins. Vous avait égrandit le col avec votre appareil et le col ne me serre plus comme avant, c'est à dire que je n'éprouve plus de plaisir...

Vous me comprenait, le passage est trop grand pour moi. Avant cela, sa aller très bien. Quand onts fait cela, vous me comprenait, j'aime que ça serre un peu, comme beaucoup de femmes, et sa l'empêchera pas de tomber enceinte quand même, quand le moment sera rendu. Alors tâchait d'arranger cela, de la rétrécirre et j'y tiens beaucoup il faut qu'elle sois exactement comme

*avant au Millimètre car mettait vous à ma place,
je suis un peu vexer. Je suis à une âge qu'on
n'aime beaucoup à s'amuser, sa sera pas quand
ont sera vieux. C'est le moment de n'en profiter...*

Cette fois, monsieur est venu seul. Il a toujours
soif, il souffre de démangeaisons.

— Vous avez sûrement du diabète, dit le médecin.

— C'est quoi, docteur?

— C'est la maladie sucrée, mon ami. Je vais
vous donner le traitement à suivre.

— La maladie sucrée! Ah! c'est donc pour cela
que ma femme... Alors, c'est pas de l'amour, c'est
de la gourmandise?

Opérée six fois, l'épouse d'un notaire breton
racontait fièrement :

— Le chirurgien m'a dit qu'on aurait pu passer
la nuit sur mon ventre.

Douleurs de ventre et opérations sont un sujet
de conversation cher à bien des dames :

— Si vous vous faites opérer, faites-vous garder le tube, on sait jamais.

— Moi, j'avais un fibrome gros comme une
tête de facteur.

Avec l'âge, on est parfois victime d'une des-
cente d'organes, alias prolapsus. Une vieille Périgourdine consultait à ce sujet.

— C'est le périnée, dit le toubib.

Quelques jours plus tard, la dame se plaignit au
chirurgien :

— Le docteur n'a pas été gentil avec moi. Il
m'a dit que c'était périmé.

Un médecin avait reçu la visite d'un couple. Il
examine le mari et le rassure : de banales hémor-
roïdes. Soupir de soulagement de madame :

— Moi qui avais si peur que ce soit une des-
cente de matrice.

C'était le cas en revanche pour une vieille Normande.

— Je passerai vous voir demain avec le chirurgien, dit le toubib. Il décidera s'il faut vous opérer.

Au dernier moment, un accouchement imprévu empêcha le docteur d'accompagner le chirurgien :

— Vas-y seul et ne dis rien à cette brave femme. Elle perd un peu la tête, je préfère lui expliquer les choses à ma manière.

Le lendemain, le chirurgien téléphone au médecin.

— J'ai examiné ta cliente, il faut l'opérer.

Le toubib se rend chez la dame :

— Alors, vous avez vu le chirurgien?

— Non.

— Comment, il n'est pas venu quelqu'un hier?

— Si, un homme, même qu'il m'a dit de monter, de me déshabiller et de m'étendre sur le lit.

— Eh bien, c'était le chirurgien.

— C'était un docteur. Ah! j'aime mieux ça. Parce que ça m'a embêtée toute la nuit!

Qu'il est doux d'être deux!
Mac Nab : *Poèmes mobiles.*

LES PREMIERS PAS

Alain (quatre ans) avait accompagné sa mère au rayon des sous-vêtements d'un grand magasin de Rotterdam. Très intéressé par les soutiens-gorge, il veut les examiner de près :

— Ne touche pas, dit maman.

— Mais si, je peux toucher, puisqu'il n'y a rien dedans.

Les enfants sont de plus en plus précoces et je me suis demandé à partir de quel âge je devais commencer mes interviews.

Ma belle-sœur Inès m'a raconté qu'elle avait six ans quand, un soir, elle apprit la visite d'un ami de la famille. Ravie, car il lui apportait chaque fois un paquet de petits gâteaux, elle sauta du lit et descendit en chemise de nuit au salon. Là, elle s'avança jusqu'au visiteur et, sans un mot, fit demi-tour.

— Tu ne dis pas bonjour? interrogea la grande sœur, étonnée de ce manège.

— Non, chuchota Inès, c'est pour voir s'il me suivra.

La même Inès eut son premier soupirant à l'âge de cinq ans. C'était un petit voisin de neuf ans qui lui glissait des mots d'amour dans la poche de son tablier.

Inès réfléchit longuement avant d'opter pour une lettre qui se voulait cinglante et qui, avec une orthographe encore plus vacillante que l'écriture, disait à peu près :

Ne nous voyons plus. Je ne pourrais pas t'épouser. Nous ne sommes pas du même milieu.

La lettre ne fut pas remise tout de suite et la mère d'Inès la découvrit poche restante.

— Ce qui, raconte ma belle-sœur, me valut une bonne fessée.

Les amours enfantines sont souvent contrariées. Un garçon de dix ans écrivit à une fillette de six ans pour lui déclarer sa flamme. Il avait choisi une belle image et joint un porte-monnaie en cuir grenat. Le tout fut glissé sous la porte du jardin de l'adorée et découvert par le père qui plaça lettre et cadeau dans son coffre-fort d'où il les ressortit... dix ans après.

A sept ans, Monique était déjà amoureuse du chef des enfants de chœur :

— Il ne l'a jamais su, m'a-t-elle dit.

Ce n'est pas toujours facile de garder un secret. En 1914, Cécile avait douze ans quand elle reçut un quatrain et une rose d'un soupirant de quinze ans. Elle déchira les vers et mangea la rose.

— Après, ça a été des géraniums et je peux assurer que ce n'est pas bon du tout à déguster.

En 1973, Nathalie (huit ans) a déjà annoncé ses fiançailles avec Thierry (onze ans) :

— C'est pratique, maman, il habite la même tour que nous. Comme ça, tu pourras me faire ma vaisselle et me garder mon enfant, pendant qu'on ira se promener.

Sylvain (cinq ans) confiait à son père :

— Plus tard, je serai fou, et Nadine aussi. Nous habiterons l'asile.

— Quoi?

— Quoi?

— Oui, Richard disait l'autre jour à maman qu'il n'avait jamais été aussi heureux que depuis qu'il était fou de Mireille. Alors, je veux être heureux.

Françoise (six ans) voulait être amoureuse sur un banc.

— Hum, dit maman, tu auras froid l'hiver et faim parfois.

— Alors, tu m'apporteras mon panier tous les jours.

Je sais que Françoise n'a pas tenu parole et je sais aussi que ma Jehanne de femme n'épousa pas son premier fiancé. Elle avait sept ans et lui huit :

— Au retour des vacances, j'ai rompu parce que je trouvais qu'il avait grossi.

Quelques mois après, elle eut un nouveau soupirant qui chargeait un copain de la surveiller. D'où fureur de Jehanne qui se plaignit à sa sœur :

— Il me fait suivre par son alcoolique.

Mireille avait trois ans, quand elle me confia :

— J'épouserai Hervé, je l'aime, on se mariera avec des fleurs dans la main. On fera un gâteau. J'aurai un petit bébé. On invitera François.

Vingt-deux ans après, Mireille s'est mariée et je lui ai offert son bouquet de fleurs. Seulement elle n'a pas épousé Hervé, elle a épousé Jacques.

Écoles et lycées mixtes apprennent aux garçons et aux filles à vivre ensemble et, s'il s'ébauche quelques amourettes, c'est certainement préférable à des « amours particulières » dont on risque d'être marqué toute sa vie.

Lorsqu'une école devient mixte, la majorité des élèves se déclarent satisfaits. C'est du moins ce qui ressort d'une enquête organisée par les parents et les enseignants d'une école parisienne.

Ce n'est pas mal, écrivit une élève(1), *mais les garçons sont trop durent avec les filles. Par exemple, un jour Daniel m'a sauté sur le dos. Ebien c'est pas marrant.*

Nous nous habituons aux filles, constate Olivier, alors que pour Éric *la mixité est très bien, parce que on a plus de plaisir à embéter les filles que les garçons.*

Il y a tout de même des misogynes, tel celui-ci qui ne daigne même pas utiliser le pluriel : *Je fais comme si elle n'était pas là.*

A Villepreux, Laurent (huit ans) disait à son institutrice :

— Vous savez, je suis amoureux. C'est la deuxième fois que cela m'arrive, mais cette fois c'est du sérieux.

Michel (six ans) se levait constamment pour aller embrasser Véronique et lui donner ses bons points. Comme l'institutrice lui rappelait qu'il devait rester à sa place, il s'écria :

— Moi, maîtresse, c'est fou ce que j'aime les filles!

Il arrive que l'on passe à des propositions plus directes. Anne-Laure (cinq ans) était rentrée de l'école et racontait sa journée :

— Alors, maman, figure-toi que Guillaume m'a dit de lui montrer mes fesses.

— J'espère bien que tu lui as dit que c'était très vilain!

— Oh! mais non! Je lui ai dit : « Fais-moi voir les tiennes d'abord. »

Claude avait connu Patrice en classe de seconde et ils étaient parmi les plus cancres. Quelques années après, Claude rencontra un de ses anciens professeurs.

---

(1) Les élèves cités avaient neuf ou dix ans. J'ai respecté leur orthographe.

— Vous voyez, lui dit-elle, j'ai mieux réussi mon mariage que mes études.

*
**

Lorsque l'on donne un bal, l'un des plus noirs soucis, c'est de se procurer un assez grand nombre de danseurs. Les jeunes gens n'aiment plus la danse et beaucoup d'hommes, à cause de leur âge ou de la gravité de leurs fonctions, ne peuvent pas danser.

Voilà ce qu'écrivait, en 1883, Mlle Ermance Dufaux de la Jonchère. Est-ce encore vrai aujourd'hui? Tout dépend de ce que l'on demande à la danse. Je connais des messieurs qui, il y a quelques années, furent horrifiés de voir jeunes gens et jeunes filles danser à un demi-mètre de distance. Pour eux, les seules vraies danses étaient le slow et le tango, ce tango qui fit couler tant d'encre, vers 1920, quand il fut interdit par le pape Benoît XV.

À cette époque-là, certains prêtres auraient voulu aller encore plus loin. L'un d'eux, venu prêcher la mission de rentrée d'un collège versaillais, confessait une élève :

— J'ai dansé avec un jeune homme.

L'élève avait seize ans et le confesseur la tança vertement :

— Vous ne devez pas faire ça. C'est un péché de danser, parce que c'est se mettre dans les bras d'un homme.

— Mon père est député et je suis tenue d'accompagner mes parents à certaines soirées.

— Eh bien, allez-y. Mais, si on vous invite à danser, répondez : « Je suis chrétienne, je ne danse pas. »

Une sympathique lectrice fit un séjour en Angleterre aux alentours de 1950.

— Dans notre milieu, à Marseille, il y avait deux sortes de filles : celles qui flirtaient et celles qui ne flirtaient pas. En Angleterre, il y avait également deux catégories : celles qui flirtaient un peu et celles qui flirtaient beaucoup.

L'encore puritaine Albion conservait des principes et une Anglaise fut scandalisée d'apprendre qu'en France on dansait le dimanche.

— Ah! comment pouvez-vous? Quelle profanation!

Car, en Grande-Bretagne, les bals s'arrêtaient le samedi à minuit pile. L'orchestre jouait le *God save the King* devant l'assistance au garde-à-vous. Après quoi, les demoiselles étaient reconduites par leur boy-friend. Que se passait-il sur le pas de la porte? Un baiser et bonne nuit. Ou davantage? La Lune seule le savait.

En France, comme en Angleterre, à force de jouer avec le feu, il arrive que l'on se brûle et, aujourd'hui, on se brûle de plus en plus jeune. Je ne pense tout de même pas que beaucoup d'élèves de cinquième en soient déjà à suivre les conseils que la directrice d'une institution religieuse de Besançon donnait récemment, en toute candeur :

— Mes chères enfants, j'espère que, pendant vos vacances, vous jouirez bien et que vous ferez jouir tout le monde autour de vous.

Mon cousin Yves avait six ans lorsqu'il dit à sa mère :

— Maman, embrasse-moi sur la bouche.
— Mais ça ne se fait pas.
— Si, ça se fait, je l'ai vu hier au cinéma.
— Peut-être, mais c'étaient des fiancés anglais.

— Ah! alors, il y a beaucoup de fiancés anglais dans le métro.

On en rencontre aussi se promenant dans la campagne.

— Ceux-là, dit Éric (cinq ans), ils sont en train de se déraciner les dents.

A-t-on le droit de s'embrasser en public? La question s'est posée, vers 1960, devant le tribunal de Saint-Dizier, à la suite d'un procès-verbal dressé par un gendarme.

— Je ne conteste pas le fait que ces deux jeunes gens s'embrassaient à la fois sur la bouche et sur le pont du canal, s'écria l'avocat. Mais pourquoi, alors, ne pas inculper tous les amoureux qui, comme dit la chanson, se bécotent sur les bancs publics, dans le métro, au cinéma ou dans l'autobus, quand ce n'est pas en voiture? Peut-être est-ce à cause de tout cela que l'on parle si souvent de « transports en commun ». Alors, laissons donc les amoureux s'embrasser. Ce spectacle en vaut bien d'autres...

Le tribunal se montra finalement plus indulgent que le gendarme et relaxa les amoureux.

En 1955, Claude (dix-huit ans) était en vacances aux Sables-d'Olonne. Par une chaude soirée d'été, elle avait dansé avec un chanteur célèbre. Dansé, dansé comme une folle. Puis il y eut le clair de lune sur la plage.

— Il me fredonnait ses meilleures chansons. Ce n'était pas pour me séduire, car il n'a rien tenté et tout est resté très pur.

Le chanteur célèbre se contenta de laisser l'adresse du plus bel hôtel. Claude s'y rendit le lendemain, le cœur battant, imaginant déjà des retrouvailles dans une suite somptueuse.

En fait de suite, cette idylle romanesque n'en eut pas. Claude retrouva son chanteur dans une espèce de vestibule où, ayant oublié de réserver une chambre, il avait dormi sur une banquette.

— Quand même, dit Claude, c'est un merveilleux souvenir et je ne l'oublierai jamais.

Personnellement, je n'ai oublié ni le jardin planté de capucines où j'ai découvert le goût des premiers baisers ni... Mais non, j'ai dit que je ne raconterai pas ma vie. D'ailleurs tout cela, c'était hier. Qu'en est-il aujourd'hui?

— Moi, je trouve le flirt complètement stupide, m'a confié une lycéenne de quatorze ans. A dix ans, j'ai eu mon premier grand amour, maintenant c'est mon meilleur ami. Mais nous sommes restés un an et demi sans nous parler à cause d'une fille, idiote d'ailleurs et qui ne l'a pas intéressé longtemps.

— Moi, m'a dit une Bordelaise de dix-sept ans, je ne vais plus dans les boums. Ça ne me tente plus, je suis sortie avec tous les garçons de notre bande.

« Sortir avec un garçon », cela signifie l'embrasser.

— Dans une même soirée, il m'est arrivé de sortir avec trois garçons. Ce qui fait que j'en suis à quinze.

Brigitte (vingt ans), une étudiante parisienne, m'a dit avec une moue dédaigneuse :

— Entre quinze et seize ans, j'avais ma cour, avec mes préférés, mes pages. Je papillonnais de l'un à l'autre. C'était très insatisfaisant.

Le flirt conserve quand même des partisans :

— On flirte, m'a expliqué une lycéenne de quinze ans, par besoin d'une tendresse qu'on n'a plus du côté de nos parents, avec qui on s'engueule tout le temps.

A vingt-deux ans, cette étudiante marseillaise n'avait jamais eu de vrais flirts. Elle était persuadée qu'elle ne plaisait pas, jusqu'à ce qu'une amie lui explique :

— C'est pourtant pas difficile, si tu te colles à un garçon, en le regardant d'un air admiratif, cinq minutes après vous flirtez.

En 1967, au cours d'un voyage en U.R.S.S., l'étudiante se souvint du conseil :

— Le premier garçon que je rencontre à Moscou, moche ou pas, dans une heure, il faut que je l'embrasse.

Ce fut un étudiant. Par chance, il était grand et beau. Une heure après, la Marseillaise et le Soviétique s'embrassaient au fond du car.

Les jeunes Français ont davantage l'occasion d'avoir des souvenirs britanniques que des souvenirs soviétiques.

— L'Anglaise avec qui je flirtais avait un soupirant attitré qui me menaça de représailles. Je lui ai ri au nez, mais j'ai moins ri quand j'ai appris qu'il était champion de boxe amateur du Kent. Huit jours après, je le vois dans la rue, il fonce sur moi et je l'attends les jambes un peu flageolantes. « Je te la laisse, me dit-il, j'en ai trouvé une plus belle. »

Pendant ce temps, les jeunes Françaises, du moins celles qui veulent faire des progrès en anglais, s'intéressent aux garçons du cru.

Vers 1950, l'un d'eux disait à une jolie Marseillaise :

— Jeannie, vous êtes adorablement jolie, vous avez un charme fou, vous êtes irrésistible.

Déjà Jeannie voyait défiler devant ses yeux ravis un avenir tout bleu, avec un beau mariage et beaucoup d'enfants.

— Jeannie, voulez-vous être ma petite amie pour le mois de mai?

Mai! Alors qu'on était en février. Fallait-il tant de temps à un Anglais pour se dégeler?

— Pourquoi pas tout de suite? dit Jeannie.

— C'est que, voyez-vous, je suis pris jusque-
là.

De quinzaine en quinzaine, il énuméra une série
de prénoms.

— Je suis très demandé, conclut-il, mais, ma
chérie, je vous aime tant que je suis prêt à vous
consacrer le mois de mai tout entier.

**
*

Quand Jean-Pierre (six ans) allait au collège,
il empruntait un chemin fréquenté par les
amoureux :

— Il y en a beaucoup, hé, maman, qui veulent
se marier.

Puis, après un silence :

— Je ne saurai pas, moi, ce qu'il faut se dire.

Ce qu'il faut se dire n'est pas tout et, au temps
des « maisons », certains pères emmenaient eux-
mêmes leur rejeton voir ces dames.

— J'aurais trop peur que mon fils me propose
une meilleure adresse que la mienne, m'a dit un
ami.

En fait, les garçons d'aujourd'hui ne sont pas
tellement plus précoces que ceux d'hier. Comme
eux, il leur arrive de se vanter de prouesses imagi-
naires et, comme eux, ils ont parfois des débuts
difficiles.

Rares sont ceux qui l'avouent. Quel est le jeune
coq qui racontera à ses copains : « Elle m'a pris
mes sous et je n'ai rien pu faire »? On ne raconte
ce genre de mésaventure que dix ou vingt ans
après, quand on a acquis assez d'humour pour se
moquer de soi-même.

Récemment, un lycéen de dix-sept ans, fils d'un
colonel de l'armée de l'air, annonça triomphalement à sa mère :

— Je viens de me farcir une Allemande.

Interloquée, moins par la chose que par les termes employés, madame mère mit un moment à comprendre que l'Allemande est un mouvement de barre fixe.

Bonaparte était lieutenant et il avait dix-huit ans quand il fit ses premières armes avec une prostituée du Palais-Royal. Elle était pâle, timide et maigriotte, ce qui donna au futur empereur le courage de l'aborder et un peu plus tard de lui faire la morale.

— Je passe de temps en temps devant l'Hôtel de Savoie, m'a raconté Gérard, et je repense qu'il y a vingt-cinq ans, j'ai tourné deux heures, avant de choisir une des filles qui faisaient les cent pas sur le trottoir. Au moment d'entrer dans l'hôtel, une autre fille a dit à la mienne : « Alors, tu les prends en culottes courtes? » Ça ne m'a pas aidé, mais j'ai avoué que c'était la première fois et la fille a été charmante. « Ne t'énerve pas, me disait-elle, ne t'énerve pas. » Après, j'étais fier et en même temps très inquiet. Il me semblait que ça se voyait et que mes parents allaient comprendre. J'avais d'ailleurs fait cela surtout parce que j'étais amoureux d'une monitrice d'enfants. Quelques jours après, j'ai voulu expérimenter sur elle ma science toute neuve et j'ai ramassé une de ces paires de beignes!

— Je devais avoir quinze ans, m'a raconté un instituteur, quand je décidai de consacrer mes économies à la chose. Je trouvai une dame du côté de Strasbourg-Saint-Denis qui m'emmena dans un hôtel du voisinage. A l'entrée, on m'indiqua un prix qui correspondait juste au montant de mes économies. Je respirai : je craignais tellement de n'avoir pas assez.

Euphorie de courte durée. La somme versée à l'hôtel ne concernait que la chambre. Les honoraires de la dame n'étaient pas compris.

— Je ne sais pas si certaines font ça gratuite-
ment, quand il s'agit d'une première, moi, en tout
cas, je n'étais pas tombé sur celle qu'il fallait.

Jean-Marie eut plus de chance. La péripatéti-
cienne qui l'arraisonna engagea la conversation
et, découvrant qu'il était vierge, lui proposa un
tarif très réduit. Juste ce que Jean-Marie avait
dans son portefeuille. Hésitation, puis poliment le
jeune garçon s'excusa :

— Non, j'aime mieux m'acheter un disque.

— Il avait bien raison, m'a dit une mère de
famille. Une prostituée expéditive et blasée n'est
sûrement pas la bonne façon de découvrir
l'amour. Quand on ne recueille pas dans l'aventure quelque maladie non prévue au program-
me.

Les jeunes d'aujourd'hui semblent de cet avis
et préfèrent s'adresser à une demoiselle de leur
âge, qui souvent ne sera guère plus experte
qu'eux.

— C'est une folie, m'a dit le professeur Hurdon, en amour comme au tennis, il ne faut pas
prendre de mauvaises habitudes. Rien ne vaut
une dame mûrissante qui fera découvrir à son
protégé que l'expérience a son prix.

En Afrique, on est généralement plus précoce
qu'en Europe. Léo avait treize ans et demi quand
il fut initié par la femme de chambre égyptienne
de ses parents.

— Elle était merveilleusement belle et mon
frère aîné avait essayé en vain d'obtenir ce que
j'ai eu un soir, sans le demander. Lorsque j'ai
raconté cela à mon frère, il est entré dans une
rage affreuse. Pourtant, j'avais attendu vingt ans
pour lui faire cette confidence.

Dans certains questionnaires médicaux figure :
A quel âge avez-vous fait vos premiers pas? Les
internes de service posent généralement la question de façon plus ambiguë : « A quel âge avez-
vous marché? » et ils sont ravis quand l'interrogée répond :

— A dix-huit ans, docteur.

Henri a un magasin proche d'un grand lycée
parisien. On lui fait volontiers des confidences.

— Elles me parlent de l'amour comme d'un
chou à la crème. Une fille de quinze ans m'a dit :
« J'ai essayé, mais ça ne m'a pas plu. Je ne recom-
mencerai pas, jusqu'à ce que j'aie trouvé l'amour
complet. »

Une enseignante m'a raconté que quatre élèves
d'un C.E.S. de l'Essonne lui avaient demandé s'il
était vrai qu'à quinze ans « on avait le droit de
coucher avec un garçon »?

Quinze ans, c'est l'âge légal du mariage, mais
nombre de médecins estiment que les rapports
sexuels ne sont pas souhaitables, tant que la
croissance n'est pas terminée. D'autant que celles
qui commencent trop jeunes sont presque toujours déçues.

— Et puis, expliqua l'enseignante de l'Essonne
à ses élèves, l'aspect physique de l'amour n'est
pas le seul qui entre en jeu. L'acte sexuel n'est
normal que quand on aime ou que l'on croit
aimer.

Au lendemain de la guerre, Christiane passait
ses vacances sur la Côte d'Azur. Chaque année,
c'était la même question : « Alors, toujours
pas? »

— Que voulez-vous, me confia-t-elle, j'avais la
trouille de me retrouver avec un gosse d'un mon-

sieur qui n'aurait pas suivi et surtout dont je n'aurais pas été vraiment amoureuse.

C'était donc : « Oui, toujours pas. » Au point qu'un plaisantin trouva éminemment spirituel de lui offrir un vilebrequin :

— Si tu attends encore, dit-il, il faudra faire venir un modèle spécial des États-Unis.

Jusqu'à un beau jour de l'été 1949 où arriva un séduisant quadragénaire :

— J'étais un peu amoureuse, je me sentais en confiance et c'est comme ça...

C'est comme ça que tous les copains emmenè-rent Christiane au casino, afin de fêter l'événe-ment. Ils se cotisèrent pour jouer le 23, le chiffre de son âge, et elle gagna.

Christiane ne « gagna pas le petit », comme on dit en Afrique noire, et, quand elle se maria quel-ques années après (avec un autre monsieur), elle apprit qu'elle ne pouvait pas avoir d'enfants.

— Si vous l'aviez su étant jeune?

— Je crois que j'aurais commencé plus tôt.

Les hommes n'ont pas forcément une vocation d'initiateurs.

— Moi, je m'étais bien gardée de dire que j'étais vierge et, pour me donner du courage, je me suis cuitée aux alexandras. C'est très agréable, les alexandras. Quant à la suite, je n'en ai absolu-ment aucun souvenir. Le lendemain matin, au réveil, lorsque j'ai vu l'air gêné du monsieur, j'ai compris que c'était fait.

Aujourd'hui, le premier partenaire appartient souvent à la même génération. Brigitte avait dix-sept ans et demi et c'était son meilleur co-pain :

— Je le connaissais depuis quatre ans et il a fallu pratiquement que je le viole. Il me disait : « Tu souhaiterais peut-être donner ça à quelqu'un que tu aimes vraiment? »

— Vous ne l'aimiez pas?

— Je l'adorais, mais je ne l'aimais pas. En tout cas, ce fut facile et parfaitement réussi. Ça s'est passé en un éclat de rire. Après, je marchais dans la rue, je regardais toutes les femmes, en me demandant si elles étaient vierges ou non.

— J'avais vingt et un ans, m'a dit une autre étudiante, mais au fond de moi-même je ne me sentais pas concernée, pas complètement participante. Je refusais psychologiquement ce que j'acceptais physiquement. Eh bien, voyez-vous, ça n'a pas été réussi du tout.

— Ma sœur, ajouta-t-elle, a eu son premier amant à seize ans. Je ne me suis pas sentie jalouse. J'ai seulement pensé : « Celle-là, elle ne perd pas de temps. »

Muriel était standardiste. Elle avait dix-sept ans et un matin, en arrivant, elle a annoncé à tout le bureau :

— Ça y est, c'est fait!

— Aujourd'hui, m'a dit une septuagénaire, elles font ça comme des animaux. Enfin, si ça leur fait plaisir!

Elle se souvenait d'une soirée dansante où sa sœur et elle s'étaient rendues, sans être accompagnées par papa et maman :

— Nous étions avec deux cousins. La maîtresse de maison nous a très mal reçues.

D'autres se rappellent l'époque où une demoiselle de bonne famille ne devait pas sortir seule dans la rue. Cela n'empêchait pas d'échanger des billets doux, mais il y avait le risque d'être découverte. D'où l'utilisation des affiches de théâtre où l'on soulignait des lettres ou des mots. Si bien que lorsque Juliette passait, suivie de son chaperon, il suffisait de faire semblant de se tenir au courant de l'actualité théâtrale pour lire le message de Roméo.

La race des parents qui empêchent leur fille d'écrire à celui qu'elle aime n'est pas disparue.

— Il y a eu tout un été, m'a raconté Jean-Louis, où je ne pouvais pas faire parvenir la moindre lettre à Hélène. Je lui écrivais chaque jour sur un cahier et, à la rentrée scolaire, je lui ai donné le cahier.

Cela se passait dans un village de l'Aude. L'été suivant, Hélène avait une alliée, une dame, amie de sa mère, chez qui elle allait écrire et qui lui remettait les lettres de Jean-Louis.

— Mes parents ont fini par consentir à notre mariage et Jean-Louis est maintenant tout à fait adopté. Mais ils n'ont pas pardonné à leur amie de nous avoir aidés. Elle n'a pas été invitée au mariage et, quatre ans après, nous lui rendons encore visite en cachette.

L'aide des adultes peut aller plus loin. Une Parisienne en vacances accepta de se faire passer pour le professeur de français d'une jeune Bordelaise. La mère n'en revenait pas :

— Ah! madame, disait-elle, ma fille qui a eu de si mauvaises notes au bachot! Je n'aurais jamais cru qu'un de ses professeurs viendrait la voir.

Elle accepta très volontiers que sa fille serve de guide à la soi-disant enseignante et à son mari. Sans se douter qu'au coin de la rue attendait un troisième personnage, avec qui la jeune Bordelaise passa un après-midi absolument pas scolaire.

Il n'est pas toujours facile de disposer d'un nid où roucouler. Marc avait trouvé une solution : la maison de campagne de ses parents où ceux-ci n'allaient jamais en hiver. Grâce à un double des clefs, il passait d'agréables week-ends.

Un jour, madame mère reçut la facture de l'E.D.F. Une facture injustifiée à ses yeux. D'où lettre recommandée, suivie d'une réponse un peu sèche de l'E.D.F., puis d'une nouvelle lettre recommandée, à la suite de laquelle l'E.D.F. changea le compteur. Et, comme la consommation d'électricité ne diminuait pas, il fallut chercher une autre explication.

— Voyez-vous, m'a dit une lycéenne, on trouve très bien que les garçons se fassent un tableau d'honneur. Pour nous, les filles, c'est toujours vachement péjoratif.

La Pilule aidant, bien des parents commencent à fermer les yeux.

— Ma mère n'a rien dit, sur le moment. Plus tard j'ai su qu'elle avait compris. Mon père n'ignore pas que j'ai un garçon dans ma vie, mais il ne veut pas le savoir. Il est prêt à tout accepter, sauf que cela se passe à la maison.

En 1967, un ami médecin m'avait confié :

— Je ne suis pas partisan de la liberté sexuelle sans limites que permet la Pilule. Il va falloir réinventer une nouvelle morale.

En 1973, Brigitte (vingt ans) m'a paru un excellent reflet de cette nouvelle morale :

— La Pilule permet une liberté de choix. Ce n'est pas pour cela qu'une fille doit accumuler les expériences. Il ne faut se donner que s'il y a quelque chose. Et, heureusement, à force d'entendre répéter qu'elles ne doivent pas être des objets de plaisir, ça pénètre dans la tête des bonnes femmes.

Entre la vierge sage et la Marie-couche-toi-là, il existe de plus en plus de demoiselles qui refusent de se priver d'amour et qui pourtant n'acceptent pas le premier venu. Certaines veulent même ne pas attendre d'être choisies :

— Qu'une fille fasse la cour à un garçon, dit Brigitte, est aussi normal que l'inverse.

Étonnons-nous ensuite que Cécile (cinq ans) ait proposé à Christian, même âge :

— Viens, on va faire comme les papas et les mamans. On va faire du bouche à bouche.

Les amours nouvelle mode sont-elles sans heurts ?

— Sûrement pas, m'a répondu Brigitte. A vingt ans, on aime, on souffre, on se casse la figure et on recommence. Mais, sachant que ce n'est pas forcément définitif, on peut se permettre d'être plus exigeante.

— J'ai été frappée, m'a dit une dame, par le nombre d'amoureux qui n'osent pas se regarder. On sent qu'ils ont peur.

— C'est vrai, approuva Brigitte, les garçons ont tendance à crever de trouille. Toutes les campagnes contre le couple, contre l'amour valeur bourgeoise, font qu'ils ont peur de s'embarquer, d'entrer dans un système. Alors qu'il est si facile d'accepter simplement d'être ensemble.

Leur garçon, certaines le voudraient tout à elles, ne comprenant pas qu'il garde tellement de temps pour les études, le sport, les copains. Pourtant, le quadragénaire aux tempes grises qui faisait rêver leur mère est de moins en moins l'idéal des demoiselles d'aujourd'hui :

— Je n'ai pas besoin, m'a dit une étudiante, d'un cadre sécurisant où je pourrais jouer à la gamine et retrouver un père.

— L'expérience, on s'en fout, s'écria une lycéenne de quinze ans. L'homme de quarante ans n'a pas les mêmes rêves que nous et on veut quelqu'un à qui parler.

Quadragénaires et quinquagénaires sont plus appréciés des dames de vingt-cinq ou trente ans.

— Surtout quand ils jouent à retrouver leurs amours d'adolescents et qu'ils sont prêts à toutes les folies : attendre des heures sous la pluie ou dormir sur un paillasson. Jusqu'à ce que, craignant qu'il n'attrape une pneumonie, on finisse par ouvrir sa porte.

En général, l'homme de quarante ou cinquante ans a l'avantage de l'argent, mais ce n'est pas forcément la raison de son succès. De charmants ratés vivent avec des demoiselles qui pourraient être leur fille. Ils se laissent dorloter et même entretenir, pendant qu'ils brassent des chimères auxquelles une épouse lassée a fini de croire depuis longtemps.

— C'est normal, m'a expliqué une lycéenne, puisqu'ils ne se sont pas réalisés, ils restent un peu comme nous.

Quand on a réussi, on a plus de difficultés à demeurer proche des jeunes générations :

— Souvent, ils ont le complexe des choses chères. Ils ont peur qu'en faisant de trop beaux cadeaux ou en allant dans des endroits coûteux, on les aime pour leur argent. Alors, ils attrapent mal à l'estomac dans d'infectes gargotes dont ils jurent qu'elles leur rappellent le bon temps.

Lorsqu'il s'agit de cadeaux, certaines femmes ont plus d'un tour dans leur sac :

— Je me souviens, m'a dit un antiquaire, d'un secrétaire retenu par une dame et que trois messieurs grisonnants sont venus régler. Ce qui a permis à la dame de récupérer une somme rondelette.

Il y a pourtant des histoires un peu trop belles pour être vraies. Une demoiselle admirait un vison dans la vitrine d'un fourreur parisien :

— Il vous plaît? demanda un passant.

— Oui.

Le vison valait soixante mille francs (six millions anciens). Le monsieur paya rubis sur l'ongle et proposa une invitation à dîner :

— Je ne suis pas libre ce soir.

— Eh bien, tant pis.

La demoiselle affirme que les choses en restè-

rent là. Faut-il la croire? J'ai raconté l'histoire à
une jeune Bruxelloise qui m'a dit :

— Moi, j'ai essayé un jour un manteau de four-
rure, j'ai répondu : « Non, je ne vous aime pas »,
et je n'ai pas eu le manteau.

Elle ne pleura quand même pas comme cette
fillette de Pontarlier :

— J'ai vu une bague au doigt du père Noël, il
est déjà marié, et moi j'aurais voulu me marier
avec lui pour avoir beaucoup de joujoux.

Choqué par l'évolution des mœurs nouvelles,
un propriétaire terrien de l'Oise s'écriait :

— C'est Sèvres et Babylone!

Je me demande ce qu'il aurait dit s'il avait lu
cette petite annonce parue, en 1968, dans la *République des Pyrénées :*

*2 J. F. distinguées et cultivées désirent rencon-
trer vue mariage M. sympathique de bonne moralité.*

Un homme pour deux, c'est simplement de la
bigamie. Les demoiselles qui, vers 1920-1930, utilisaient les petites annonces du *Sourire* (1) ne
poursuivaient en principe qu'un homme à la fois.
Seulement, pour ces jolies chasseresses, Mam-
mon comptait plus que Cupidon.

*Je crois au Dieu du Hasard et j'appelle l'être
d'élite de toute la force de ma jeunesse. Je le
désire simple, bon, généreux, ayant grandes qualités. Je suis jeune, jolie, blonde, très gaie, du vrai
monde. Une aide immédiate me ferait plaisir.*

*Passant l'hiver Côte d'Azur, jeune femme, 22
ans, meilleur monde, très jolie, faite à ravir, sera
heureuse y rencontrer l'homme du monde ca-*

---

(1) *Le Sourire* était un hebdomadaire humoristico-galant, fort joli-
ment illustré. Je n'ai rien changé aux textes des annonces, sinon pour
supprimer les abréviations qui rendaient la lecture moins aisée.

pable procurer, tant par ses dons personnels que par sa fortune, tous les plaisirs que son ardente jeunesse et son désir de luxe peuvent désirer.

Par la suite, on avait de plus en plus d'exigences : *Désorientée par départ forcé et définitif d'un ami très cher, une très jolie poupée parisienne, 25 ans, tente pour la première fois la chance de retrouver par ce moyen l'ami aussi tendre et aussi bon que le hasard avait mis sur sa route. Je l'aimerai de toute mon âme à condition qu'il me prouve son affection en m'aidant à conserver le luxe que l'on m'a offert. Je ne m'adresse donc qu'à un gentleman sérieux et aisé, capable d'offrir aide en rapport avec ma situation. J'ai appartement à la Muette, auto, chevaux et commerce de luxe en bonne voie.*

Suivait un nom à particule, car, si l'on en croyait le texte des annonces, tout se passait entre gens du monde. L'une était *d'un milieu très élevé* et désirait de ce fait *une aide pas dérisoire.* L'autre était du *meilleur monde*, aussi priait-elle les messieurs aimant le dancing et les aventuriers de s'abstenir rigoureusement.

Un peu perdue au milieu de tout ce gratin, Josette avouait : *Du bonheur... Je voudrais tant en avoir. Qui me comprendra? Suis pas femme du monde, simplement dactylo, cependant instruite, bien élevée, gentille, brune, bien faite, 30 ans, serais heureuse correspondre avec Mr 40-55 ans qui puisse adoucir beaucoup ma vie.*

D'autres préféraient fixer leur prix : *Moi, je demande tout simplement un brave homme d'ami qui veuille bien m'assurer une mensualité de deux à trois mille francs. Il paraît que je vaux beaucoup mieux que ça.*

Il y avait moins cher : *23 ans, délicieux petit corps souple, jolie poitrine, grands yeux pers étranges, accepterait aventure avec monsieur aidant 200 frs* (1).

En 1927, Inès demandait : *Y aurait-il parmi les lecteurs de ce journal un homme assez idéaliste pour venir au secours et aider largement de suite une jolie et charmante jeune fille du monde, sans demander autre chose en échange qu'une profonde reconnaissance et peut-être une amitié sincère?*

Inès devait avoir des émules ou diverses identités, car j'ai trouvé plusieurs annonces du même genre, émanant de la même adresse. L'une d'elles faisait appel à *un homme sensible et délicat. Seul*, ajoutait-elle, *un cœur simple et bon sera capable de venir en aide largement de suite. Il comprendrait que le rôle de l'homme sur la Terre est de protéger cet être fragile : « la jeune fille ».*

En revanche, c'est d'une adresse différente que partait cet appel : *Brune, racée, jolie, 30 ans, du savoir, fille spirituelle de Frédéric Nietzsche, l'idéal conventionnel ne saurait me suffire.*

D'autres se contentaient de monnayer leurs talents épistolaires : *Jeune Slave, fantasque, originale, adressera correspondance curieuse à gentleman raffiné, goûts modernes qui aura le geste large dès la première lettre.*

Appassionata échange correspondance suggestive avec personnes, qu'elles soient de France ou de Navarre, mais... point avares.

Celles qui préféraient les rencontres à domicile vantaient leur physique. L'une se disait *fine d'esprit et d'attaches*, l'autre parlait de *ses formes plantureuses*. Seule, Bécassine s'avouait *jeune, laide et bête.* Ce qui ne l'empêchait pas de désirer *connaître un monsieur intelligent, généreux et*

(1) L'indice des prix étant environ soixante-dix fois plus élevé en 1974 qu'en 1930, cela représente cent quarante francs (quatorze mille anciens francs), ce que d'aucunes trouveront terriblement modeste.

affectueux. Comme il fallait tout de même un argument en sa faveur, elle ajoutait : *Ai joli nid.*

Les annonces des demoiselles d'aujourd'hui sont d'un style nettement différent. En octobre 1973, dans la rubrique Contacts d'*Actuel*, mensuel de la presse « underground », j'ai trouvé sous le titre *N'importe qui : Femelle cherche mâle aimant aventure par cheval de trait pour le long chemin menant aux Indes. Départ prévu début décembre. Qui que tu sois, je t'en prie, tente l'aventure.*

**

Monsieur ayant la pelade désire mariage aisé.

Dame du meilleur monde cherche pour mariage monsieur honorable sentant le bouc.

Ces annonces fantaisistes ont été relevées dans des journaux du début du siècle. Celle-ci date de 1930 : *Médecin désire correspondre avec j. f. turque, irlandaise ou norvégienne en vue mariage.*

Aujourd'hui, les journaux sérieux (ou qui s'estiment tels) refusent les textes des farceurs. En tête de sa rubrique Mariages (la plus célèbre de France), *le Chasseur français* précise que sont écartées toutes les annonces qui « ne paraissent pas présenter une moralité et une loyauté absolues ».

Heureusement, la moralité n'exclut pas un certain lyrisme : *Existes-tu, mon bien-aimé, toi que j'ai cherché de par le monde? Mon merveilleux compagnon, grand, brun, séduisant, excellente moralité, distingué, très sérieux, classe, très fortuné, sobre, catholique pratiquant, 30-34 ans, prévenant, sachant mijoter de savoureux petits plats à très tendre épouse 28 ans...*

Cette annonce se trouvait dans le numéro de novembre 1973 du *Chasseur français*. Générale-ment, les candidates au mariage commencent par se présenter elles-mêmes. Toujours dans le même numéro, voici une *jeune fille de 22 ans, saine, profonde, tendre, caressante...* Alors qu'une divorcée de 44 ans s'écrie : *Si vous recherchez l'authenticité dans la relation humaine, alors il faut nous rencontrer...*

Les messieurs sont moins nombreux (252 contre 341 dames, en novembre 1973) et ils ont moins de style, mais ils savent très bien ce qu'ils veulent. Par exemple, ce *retraité affectueux qui épouserait une douce compagne quarantaine, noblesse éventuellement, aimant région vallon-née.*

Tandis qu'en janvier 1974 j'ai lu : *Madame, êtes-vous sentimentale, potelée, 80-100 kg? Retraité, 60, aisé, vous attend.*

Assez curieusement, les gens qui se marient par petites annonces ne l'avouent pas toujours. Pour-tant, il est bien normal de chercher une chaus-sure plus à son pied que celles offertes autour de soi.

Il arrive que papa et maman passent eux-mêmes l'annonce. Celle-ci vient également du *Chasseur français*, mais date de quelques années : *Parents recherchent vue mariage pour fils unique, 1,50 m, 40 ans, malade, aigri, mauvais caractère, jeune femme douce, compréhensive, même non fortunée.*

— Ah! les braves gens! aurait dit Guillaume Ier.

On a envie d'ajouter : « Ah! le brave homme! », en lisant cette annonce du *Sourire*, en 1930 : *Monsieur très bon, belle situation, épouserait jeune fille ou femme même avec infirmité. Désir dot : 100 000 frs.*

Ou encore cette annonce du *Chasseur français*,

en novembre 1973, dans laquelle *un célibataire
esseulé de 51 ans se déclare prêt à épouser
infirme, handicapée, malade, riche pour deux.*

Toutes ces dames et tous ces messieurs ont-ils
trouvé l'âme sœur? Je l'ignore. En revanche, je
sais qu'un photographe parisien eut un jour
besoin d'une assistante. Il ouvrit *France-Soir* et,
dans les pages de petites annonces, chercha les
demandes d'emploi.

Deux ans plus tard, la petite annonce épousait
le fils du photographe.

***
****

*Le sus-nommé est très connu dans la région. Il
est de bonne moralité et sa conduite n'a donné
lieu à aucune remarque défavorable quoique célibataire.*

Ce certificat a été établi, au début du siècle, par
un gendarme. Sans doute les célibataires ont-ils
parfois mauvaise réputation, mais cela ne les
empêche pas de persévérer :

— Mon frère va sûrement faire un vieux garçon, disait un Breton. Pour lui coller une fille au
derrière, c'est pas facile.

— J'aime trop les femmes, expliquait un célibataire, pour me consacrer à une seule.

Ou pas assez pour essayer d'en rendre une heureuse. Combien de vieux garçons se refusent à
envisager le mariage par égoïsme, par crainte des
responsabilités, encouragés à cela par une mère
ou une sœur qui ne demande qu'à continuer de
les dorloter!

— Quand je serai grand, s'inquiétait Jean-Louis
(six ans), si je ne suis pas marié, est-ce que je
pourrai rester avec vous?

— Évidemment, répondit maman, mais, quand nous ne serons plus là, tu seras tout seul.

— Eh bien, j'irai dans un orphelinat pour grandes personnes.

Les mères ne cherchent pas forcément à retenir leur fils. Comme disait une brave femme de Vars :

— Des filles, té, c'est facile à trouver. On tape dans les mains et il en sort dix de derrière les buissons.

C'est à un congrès de mathématiques que mon frère Bernard rencontra la Josette qui devait devenir sa femme. Alors qu'il était déjà professeur et encore célibataire, il fut la proie des marieuses. Un soir, on lui présenta une demoiselle et on le pria de la raccompagner chez elle. Il accepta bien volontiers. Soudain, au moment de la quitter, il réalisa que c'était la deuxième fois qu'il voyait cette demoiselle.

— Je ne l'avais pas reconnue, raconte-t-il, mais j'ai reconnu sa maison.

Thierry (cinq ans) demandait :

— Maman, quand on tombe amoureux, est-ce qu'on se relève?

Une chanson affirme qu'un chagrin d'amour dure toute la vie. C'est peut-être vrai, mais une déception sentimentale sert souvent d'excuse à un douillet célibat.

— Moi, disait un moutard de cinq ans, je ferai comme tante Cécile, je me marierai tout seul.

Ceux et celles qui se marient tout seuls ne découvriront-ils pas un jour (comme l'écrit Simone de Beauvoir, dans *la Force des choses*) « à quel point ils ont été floués »? Ne vaut-il pas mieux suivre l'exemple de cet archiviste fort timide qui, sur le tard, se décida au mariage?

— Il est littéralement transformé, racontait une dame à une autre.

Et Catherine (sept ans) qui écoutait :
— Il s'est transformé en quoi?

*
**

Une jeune Havraise se rendit un jour au commissariat de police pour faire établir une carte d'identité. D'où questionnaire :
— Situation de famille?
— Célibataire.
— Célibataire! Pas mariée, alors?

Selon une statistique, une femme sur cent serait volontaire pour le célibat. Même si tous les hommes se mariaient, il y aurait des laissées-pour-compte, car il naît cent six filles pour cent garçons.

— Maman, demandait Nathalie (cinq ans), les poules qui n'ont pas de poussins, c'est des vieilles filles?

Être vieille fille est moins une question d'âge que de mentalité et on ne le devient pas fatalement le jour de ses vingt-cinq ans. Le temps n'est plus où un vieux dicton affirmait : « A vingt-quatre ans, on se marie sans choisir, lorsqu'on tient à ne pas coiffer sainte Catherine. »

A treize ans, on est bien décidé à choisir :
— Je prendrai un mari pas trop beau, m'a dit Véronique, pour qu'il ne soit pas piqué par toutes les bonnes femmes, mais pas trop laid quand même.

Annie (sept ans) et Geneviève (cinq ans) avaient déjà fixé leur choix. Un pâtissier pour l'une, un chocolatier pour l'autre. Alors Monique (quatre ans), bien décidée à avoir sa part des futures douceurs :
— Et moi, je me marierai avec un cerisier.

Xavier (quatre ans) expliquait à son frère :
— J'ai déjà choisi ma fiancée et elle est jolie.

Mais toi, si tu attends trop longtemps, il ne restera que les laides.

Il reste aussi celles qui se sont trop passionnées
pour leurs études, puis pour leur métier. Celles
qui se sont dévouées auprès de parents âgés ou de
jeunes orphelins. Quant aux laides, elles le sont
souvent par leur faute : quelques kilos en moins,
un brin de maquillage en plus, une visite chez le
coiffeur et l'on s'aperçoit que la demoiselle que
l'on croyait épaisse et terne a beaucoup de
charme.

Tous les détails ont leur importance, comme le
rappelait une publicité parue dans la revue cana-
dienne *Châtelaine*, en avril 1970 : *Plus un poil au
visage. Enfin l'amour.*

Ma nièce Monique avait seize ans quand elle
arbora une des premières mini-jupes. D'où quelques critiques d'Annick, la sœur aînée.

— Toi, tu as plu, dit Monique, laisse-moi faire
ma vie.

Six ans après, Monique a épousé un Anglais.
Car rien n'oblige à rester dans son village ou son
quartier. Au début du siècle, Marguerite avait
quitté la Manche pour suivre son mari à Paris. Un
jour, un des commis du père de Marguerite, qui
était maréchal-ferrant, se rendit dans la capitale.

— J'ai point vu mam'zelle Marguerite, raconta-
t-il au retour. Pourtant, en me promenant, j'ai
bien regardé partout et à toutes les fenêtres.

Aujourd'hui, les voyages organisés et les clubs
de vacances permettent d'aller chercher l'âme
sœur au bout du monde. Il faut oser partir, ne
pas toujours passer ses vacances chez la même
tante-gâteau, avant de devenir soi-même une
tante-gâteau.

Pour qui manque de relations, l'agence matrimoniale est également une bonne solution. Mais

les agences ne sont pas toutes recommandables.
On m'en a cité une dans laquelle le même monsieur jouait tour à tour le rôle d'un architecte,
d'un médecin ou d'un fonctionnaire, afin de
répondre aux souhaits de demoiselles que bien
entendu il n'épousait jamais.

Heureusement, il y a des agences sérieuses et
de vrais candidats au mariage. Encore faut-il
savoir ce que l'on souhaite. *Pas un surhomme*,
écrivait une jeune fille, *mais un homme sûr*.

L'idée de l'agence matrimoniale déplaît cependant à beaucoup, surtout aux très jeunes.

— Une voisine a marié sa fille comme ça, m'a
raconté Raphaëlle (seize ans). Je comprends
qu'elle l'ait fait, c'était la dernière, elle voyait
qu'elle partait pas. Mais j'aurais pas cru qu'elle le
dirait.

— Oui, renchérit Perrine (quinze ans), s'inscrire dans une agence, c'est un peu se mettre en
vente. Moi, j'aurais honte.

D'autres se méfient, comme si de fréquenter le
même dancing ou de prendre le même autobus
était une meilleure référence.

— Notre sélection doit être sévère, m'a dit
Mme Desachy qui dirige une des plus grandes
agences parisiennes.

Une des plus hautes aussi. Trois étages bien
raides, sans ascenseur. Peut-être pour faire battre
les cœurs. Ou pour éliminer les cardiaques, car ici
on élimine pas mal de candidats. A commencer
par celui qui demandait 300 000 francs (anciens)
pour venir terminer ses études en Europe, pro-
mettant en échange à sa bienfaitrice de « la
rendre heureuse toute sa vie ».

Chaque jour, des lettres vont à la corbeille à
papier. J'y plonge et je récupère la missive d'un
Marocain : *Chère amie... lorsque j'ai trouvé votre*
adresse dans le journal, mon cœur et tous les

membres du corps ont pris le droit de vous écrire...

Mme Desachy est très fière de son lot d'ingénieurs, de médecins, de pharmaciens, d'industriels, de fonctionnaires. Elle a même eu un ambassadeur, mais chut! Le secret professionnel.

Car les clients des agences matrimoniales ne sont pas forcément laids, difformes ou ratés.

Je ne me prends pas pour Alain Delon, mais je suis loin de me trouver moche, écrit un jeune comptable. *Si je préfère trouver une compagne par la voie des annonces, c'est uniquement parce que je suis un peu timide.*

Beaucoup de timides, de gens qui sont pris par leur travail, qui n'ont pas le temps de sortir. Des efficaces aussi, comme cette spécialiste du management, jolie, intelligente, sympathique et qui expliqua :

— Quand j'ai mal aux dents, je vais chez le dentiste; quand je suis malade, je vais chez le médecin; quand je veux me marier, je viens chez vous.

Mariée par l'agence, une dame revint vingt-cinq ans après avec sa fille :

— J'ai été heureuse grâce à vous, j'espère qu'elle le sera aussi.

Une autre dame revint également vingt-cinq ans après. Devenue veuve, elle voulait se remarier.

Avant de s'inscrire, une habitante du Loiret réclama des précisions : *Si je vous envoie un mandat, quand est-ce que je toucherai un mari?*

Tandis qu'une Africaine écrivait : *Qu'est-ce qui y a de bon chez vous?*

Mme Desachy me montre des photos :

— Vous voyez que je n'ai pas que des laiderons!

J'en trouve une qui ressemble à Brigitte Bardot. Si j'étais inscrit à l'agence... Mais ici les messieurs mariés n'ont aucune chance et l'on épluche soigneusement leur identité. Il faut venir pour le bon motif, ce qui n'empêche pas d'avoir des idées précises :

— Surtout pas d'hôtesse de l'air, dit un pilote.

Change-t-on d'agence, on retrouve les médecins qui ne veulent pas d'infirmières et les infirmières qui rêvent d'un médecin. Tandis que les amies des bêtes se voient déjà mariées avec un vétérinaire.

Certains ont des exigences financières; d'autres sont davantage préoccupés par le signe astrologique.

Il y a aussi ceux à qui les diplômes font peur :

— Pas plus que le bachot et plutôt moins, spécifie un ingénieur.

Quelques-uns, en revanche, demandent « une femme qu'ils puissent seconder ».

Une contrôleuse des contributions directes ne voulait ni commerçant ni industriel :

— Je déteste les fraudeurs, expliqua-t-elle.

L'hôtesse d'une agence parisienne m'a expliqué que jusqu'à vingt-quatre ans on compte davantage de garçons que de filles. Au-delà de quarante ans, la proportion est inversée. Si bien que les sexagénaires peuvent se faire présenter des candidates en série :

— Excusez-moi si je ne me lève pas, disait l'un d'eux, vous êtes la huitième. Je suis fatigué.

Une autre hôtesse m'a raconté qu'un soir elle vit arriver une femme vêtue de noir, avec des souliers blancs et une valise blanche.

— J'ai cinquante-cinq ans, dit-elle, je crois que j'ai l'âge de penser au mariage.

L'hôtesse songeait déjà à un brave retraité, vivant à la campagne, quand la candidate ajouta :

— Je veux être présentée uniquement à des hauts fonctionnaires et surtout pas plus âgés que moi.

— Je ne crois pas que nous puissions vous satisfaire.

— Alors, à la rigueur des diplomates.

Quand on se marie, on omet parfois d'adresser un faire-part à son agence, comme si on voulait déjà oublier la façon dont on s'est rencontrés. Il y a aussi ceux qui envoient des fleurs, des bonbons ou bien qui écrivent : *Pour que vous puissiez dire et redire que « le coup de foudre » et le grand amour, tel qu'on le rêve maladroitement quand on a seize ans, sont possibles à notre âge (47 et 46 ans).*

Une demoiselle très prolongée mit près de quatre années à trouver preneur. Alors qu'une religieuse de cinquante ans, en rupture de couvent, se maria dès la deuxième présentation. De façon générale, cela ne va pas aussi vite. Un ingénieur de quarante-cinq ans qui voulait une demoiselle nettement plus jeune que lui en vit cinq, dix, sans rencontrer celle de ses rêves. Jusqu'au jour où :

— Pourquoi ne me présentez-vous pas à la personne qui vient de passer? Elle me plaît beaucoup.

— Oui, mais elle a votre âge et vous nous aviez dit...

— Ça ne fait rien, je veux la rencontrer.

Il la rencontra et l'épousa.

— Il est très difficile de prévoir qui plaira à qui, m'a dit la directrice d'une agence de Nice. Je me souviens d'une petite boulotte qui débarqua un samedi sans prévenir. J'essayai de joindre plusieurs jeunes gens me paraissant lui convenir. Aucun n'était chez lui. « Il y en a bien un, lui dis-je, mais il ne vous plaira sûrement pas. Il est

très grand et très maigre. » « Bah! Je peux toujours le rencontrer. Comme ça, je ne serai pas
venue pour rien. »

Vous avez déjà deviné que l'aiguille à tricoter
épousa la pelote de laine.

LES AVATARS DE LA MORALITÉ

Dans une rue mal famée d'Anvers, un petit Pierre de trois ans s'étonne :

— Qu'est-ce que ces madames font aux fenêtres? Y a rien à voir.

Françoise (dix ans) déjeune à Nice, avec ses parents. Sur le trottoir d'en face, des dames font les cent pas et Françoise demande des explications.

— Ce sont des dames guides pour se promener en ville, dit maman.

— Ah! c'est drôle, il n'y a que des messieurs qui visitent Nice en ce moment.

En France, la prostitution a été tantôt interdite, tantôt tolérée. Un des premiers à sévir fut Charlemagne. Ce sage monarque, qui sut se contenter de quatre épouses légitimes, d'une demi-douzaine de concubines officielles et d'un bon nombre de maîtresses, voulut protéger ses sujets contre les filles de mauvaise vie. Un édit menaça celles-ci de la peine du fouet et du bannissement.

Saint Louis partit aussi en guerre contre les prostituées, mais avec si peu de succès qu'il décida de leur assigner des rues et des quartiers dont elles ne devraient pas sortir.

En 1830, le préfet de police interdit aux filles publiques de se produire dans les rues. Menacés de perdre leurs revenus, les marlous de la capitale éditèrent une brochure qui avait pour titre : *50 000 voleurs de plus à Paris ou réclamation des anciens Marlous de la capitale contre l'ordonnance de Monsieur le Préfet de police concernant les filles publiques.*

Théodore Cancan, signataire du texte, expliquait entre autres :

Un marlou, monsieur le préfet, c'est un beau jeune homme, fort, solide, sachant tirer la savate, se mettant fort bien, dansant le chahut et le cancan avec élégance, aimable auprès des filles dévouées au culte de Vénus, les soutenant dans les dangers éminents, sachant les faire respecter et les forcer à se conduire avec décence...

Vous voyez donc qu'un marlou est un être moral, utile à la société, et vous venez de les forcer à en devenir le fléau, en forçant nos particulières à limiter leur commerce dans l'intérieur de leurs maisons...

Avec votre ordonnance, qu'allons-nous devenir? Je n'en sais rien, car nous avions nos occupations. L'argent que nos dames nous donnaient pour nous éloigner de chez elles, afin que nous ne puissions pas nuire à leurs petites affaires, nous le versions chaque soir selon nos goûts et nos habitudes. Charles allait chez Constant, à l'estaminet de la rue Favart, et lisait son journal, car on peut être marlou et aimer les nouvelles... Ernest faisait sa partie chez le marchand de vin du coin... Alexandre, qui a le goût de la danse, ne manquait pas d'aller les dimanches, lundis et jeudis, au Bal de Paris, et les autres jours de la semaine dans les bals extra-muros; n'allez pas penser que je sais le latin, non vraiment; je n'ai fait aucune étude et l'on peut le voir par mon style; mais nous avons

*parmi nos confrères un jeune homme qui a fait
son droit et qui m'a dit ce que ça voulait dire...*

*Achille, Alcide, Alphonse... mille autres dont je
pourrais vous citer les noms, pourront-ils, après
avoir vécu dans une espèce de luxe, vivre dans la
misère? Non, sans doute; privés du secours de ces
dames, pourront-ils payer le traiteur, le tailleur,
le bottier, le chapelier? A combien de corps de
métiers ne faites-vous pas supporter une perte
considérable, je ne dirai pas « conséquente » car
j'ai lu dans le Figaro que c'était un cuir...*

*Vous voyez donc bien, monsieur le préfet, que
tous mes confrères et moi allons être plongés
dans la détresse par votre ordonnance et que je
n'exagère pas quand je dis que vous allez créer
50 000 voleurs de plus...*

Comme toutes les réglementations du genre,
celle de 1830 eut suffisamment d'exceptions pour
que les souteneurs puissent continuer à prospérer.
Un jour, l'un d'eux prenait l'autobus avec une de
ses protégées. Minaudante, madame demande :

— Où me mets-je, chéri?

— Mets-je-toi là et fous-nous la paix.

A la veille de la guerre de 1939, une des plus
célèbres maisons parisiennes était *le Sphinx*. Un
toubib qui fut chargé de la surveillance médicale
de l'établissement m'a expliqué qu'il y avait une
grande salle où l'on pouvait boire et manger, sans
être tenu de monter avec une de ces dames :

— On y voyait le Tout-Paris, des députés, des
vedettes. On y a même donné des repas de
mariage.

Un jour, lors de la visite médicale, une pensionnaire raconta que, le samedi précédent, il y avait
eu beaucoup de monde, entre autres Maurice Chevalier.

— Tu aurais été contente de monter avec Maurice?

— Oh! docteur, pourquoi voulez-vous m'humilier? Si Maurice montait, pour moi, ce serait un client comme un autre. Je ne suis pas une midinette.

En France, les maisons closes ont été fermées en 1946, mais en cherchant bien on devrait en trouver quelques-unes qui sont encore entrouvertes. Selon les périodes, comme selon les pays, la police est plus ou moins sévère, et l'amour vénal sait s'adapter aux circonstances. Chasse-t-on les tapineuses des trottoirs, il reste l'échassière sur son tabouret de bar, l'amazone au volant de sa voiture, la call-girl à côté de son téléphone, car les disciples de Vénus Pandemia se modernisent aussi.

— Il faut tolérer la prostitution, disait en 1953 un avocat de Tours, et faire la part du feu. C'est la méthode du pompier.

Les « respectueuses », comme on les appelle depuis la pièce de Sartre, ont été les héroïnes de bien des œuvres littéraires. Mais, à côté de filles au grand cœur, combien qui sont bêtes, paresseuses, voire méchantes et cupides! Celles-là sont satisfaites de leur sort, alors qu'il y a des malheureuses que le chômage, la misère ou simplement les belles paroles d'un souteneur ont conduites vers un métier qu'elles ne souhaitaient pas, même s'il est le plus vieux du monde.

— Quand je traînais au Quartier, m'a raconté une ancienne de Saint-Germain-des-Prés, je me tapais chaque soir un type. Un jour, je me suis dit : « Tant qu'à faire, autant que ça me rapporte. » Alors, j'ai émigré aux Champs-Élysées et je me fais payer le maximum, parce que les clients se rendent compte que j'apprécie vraiment ça. Après tout, quelle différence y a-t-il entre une tapineuse et une bourgeoise qui, pour éviter de travailler, reste avec un mari qu'elle n'aime pas?

Et, si l'on doit parler de morale, qui faut-il condamner, la femme qui vend son corps ou l'homme qui l'achète?

En août 1973, une de ces dames vint de Mulhouse pour participer à l'émission de télévision *Feux croisés*. Elle expliqua qu'elle voulait que sa profession soit reconnue et paye des impôts. Sur le deuxième point au moins, elle fut entendue puisque, dès la semaine suivante, elle recevait une lettre du contrôleur des contributions, lui annonçant son intention de l'imposer.

— Des impôts, un syndicat, m'a dit le professeur Hurdon, ce n'est qu'un début. A quand un diplôme qui fera du plus vieux métier du monde un vrai métier?

Certes, il y a la concurrence des nymphettes à la cuisse légère, mais les nymphettes ne s'intéressent ni aux vieux messieurs, ni aux infirmes, ni aux pervertis qui sont parmi les clients les plus fidèles des marchandes d'amour.

Celles-ci font-elles fortune? Rarement semble-t-il. L'argent vite gagné est aussi vite dépensé. Quelques-unes cependant épousent leur protecteur et siègent dans le bar de leurs rêves, un bar que ledit protecteur aura sans doute promis à dix autres protégées avant de se décider à faire une fin.

Pourquoi ces dames ne seraient-elles pas vraiment amoureuses de leur souteneur? Il y a vingt ans, l'une d'elles attendait un enfant et ne doutait pas un instant qu'il fût de son Dédé. Lequel Dédé faisait un séjour en prison, d'où il écrivait des lettres menaçantes : *Gare à toi si tu n'es pas fidèle.*

Et, comme il fallait bien envoyer des oranges à Dédé, la jeune mère se remit au travail très peu de jours après la naissance de son bébé :

— Je ne veux pas le laisser seul, expliquait-elle,

je l'emmène avec moi et il dort derrière un paravent.

Vingt ans après, le vent de la libération féminine souffle-t-il sur les trottoirs?

— Très peu, m'a dit un spécialiste. Huit prostituées sur dix ont un protecteur intéressé à leurs bénéfices.

— Ça change et nous sommes de plus en plus nombreuses à travailler à notre compte, affirmait récemment une tapineuse à une de mes amies.

Faut-il la croire? En tout cas, le montant de la recette journalière qu'elle avança laissa rêveuse l'honnête secrétaire qui recevait cette confidence.

— Au fond, me dit-elle, il ne leur manque que la considération.

Ce temps viendra peut-être. Après tout, il y eut bien une époque où les comédiens étaient excommuniés.

Les lupanars officiellement autorisés sont-ils pour demain? Certains le souhaitent, mais beaucoup restent farouchement contre, à commencer par une brave femme des Yvelines, indignée par ce qu'elle avait vu et entendu à la télévision :

— Vous vous rendez compte, madame, ils veulent rouvrir les Luna-Parks!

A Dormans, en 1920, une demoiselle avait, tout au long de la guerre, remonté le moral des poilus :

— Si tous ceux qui m'ont possédée se donnaient la main, il y en aurait d'ici jusqu'à Paris.

J'espère qu'elle exagérait car, d'après mes calculs (peut-être faux, il est vrai), cela représente une cinquantaine de poilus par jour. Ce qui est tout de même beaucoup.

A ce niveau-là, j'imagine que la jalousie rétrospective ne doit plus tellement jouer. Pas plus qu'elle ne joue pour ceux qui ont épousé d'anciennes prostituées. D'autant que celles-ci ont la réputation d'être d'une fidélité à toute épreuve.

La jalousie rétrospective n'est heureusement pas le fait de tous les maris :

— Jacques a gardé longtemps dans son portefeuille une photo de moi et du garçon que j'avais aimé avant lui. « Je suis content, m'a-t-il dit, que tu aies eu quelqu'un de beau avant moi. »

Certaines dames ne sont pas fâchées de montrer qu'elles ont eu des succès flatteurs, tandis que bien des messieurs se plaisent à évoquer des frasques de jeunesse qui, avec le temps, prennent une couleur et une saveur qu'elles n'avaient peut-être pas à l'origine.

Un vieil homme du Gâtinais se souvenait d'une fête où, avec deux ou trois copains, ils avaient levé une fille et l'avaient emmenée dans une chambre :

— Elle était tellement grosse qu'elle roulait sur le lit et qu'on l'avait calée avec ses sabots.

Il est vrai qu'à vingt ans on a généralement assez d'appétit pour dévorer des mets dont on ne voudra plus quelques années après.

Il est vrai aussi qu'en amour la mémoire sélective joue. On se souvient avec attendrissement de tel flirt et l'on s'efforce d'oublier l'horreur embrassée un jour de cafard, ou le monsieur auquel on s'est abandonnée à l'issue d'une cuite mémorable.

Les années vous changent et font que, dix ou vingt ans après, on ne se reconnaît pas tout de suite. A celui (ou à celle) qui aborde l'autre de glisser un nom, un détail évitant l'affreuse question :

— Mais qui êtes-vous ?

Récemment, une dame m'arrêta dans la rue :

— Bonjour, Jean-Charles. Je suis sûre que vous ne me reconnaissez pas.

C'était vrai, mais je déteste avouer mes défaillances de mémoire. Je tentai de gagner du temps :

— Bien sûr que je vous reconnais. Comment allez-vous?

— Alors, dites-moi qui je suis.

Pas le moindre indice. J'étais coincé... Non, car la dame tenait à la main une lettre qu'elle se préparait à mettre à la poste et je reconnus son écriture.

A la suite d'un départ, clubman sportif, 38 ans, se promène seul au volant de son cabriolet. Quelle est la gamine espiègle et intelligente, ni grande, ni élégante, mais d'un physique impeccable, aimant les gâteries et les voitures puissantes, qui voudra correspondre pour chasser ce cafard par sa gaieté et sa fraîcheur juvénile?

Ce texte vient du *Sourire*, hebdomadaire dont j'ai déjà cité quelques annonces dans le chapitre précédent.

Je peux faire le bonheur d'une femme, s'écriait un commerçant. *Phrase magique. Je vais recevoir mille lettres. Seule la vôtre m'intéressera.*

Un trentagénaire souhaitait *des sourcils épais et un léger duvet au-dessus des lèvres.* Les dames *intéressées, mariées ou aimant la danse* étaient priées de s'abstenir.

Il y avait plus imprévu : *Souvent Paris, 28 ans, auto, aimerait gentille jeune femme amputée ou vue faible, pouvant recevoir. Mariage possible.*

Un autre monsieur disait : *Celle que j'aimerai, je la vois petite, bien faite, jeune, pas plus de 22 ans, ouvrière ou employée, peu importe, pourvu que travaillant. En échange de son affec-*

tion, je lui offrirai le superflu et de belles excursions.

Aujourd'hui comme hier, il faut se méfier des trop belles excursions et toutes les propositions ne doivent pas être prises pour argent comptant. Heureusement, depuis 1953, le Bureau de Vérification de la Publicité, alias B.V.P. (1), signale les annonces douteuses aux journaux, ce qui ne veut pas dire que tous suivent ses conseils.

Les demoiselles ont donc intérêt à se méfier des offres d'emploi un peu trop alléchantes, surtout quand elles émanent de pays ensoleillés. On croit partir comme hôtesse, barmaid ou mannequin et l'on risque d'être contrainte à un métier infiniment moins reluisant, la traite des Blanches n'étant malheureusement pas une réalité périmée.

Une aimable lectrice est restée rêveuse devant cette annonce, trouvée en 1973 dans un quotidien parisien : *On demande représentants (tantes) pour visiter clientèle particulière.*

Qu'en pense le B.V.P.? Et qu'aurait-il pensé, s'il avait existé en 1927, de cette Patricia, disant simplement : *Je cherche et je trouve tout ce que l'on désire.* Tandis qu'en 1930 Conchita de R. affirmait que *ses relations exquises, variées, très étendues dans tous les milieux, pouvaient contenter les plus exigeantes curiosités, charmer les plus difficiles.*

C'est qu'ils étaient gâtés, les messieurs, en 1930! *Le Goujon folichon* leur offrait *des chambres pimpantes et une cuisine exquise.* Manquaient-ils d'inspiration, on leur suggérait *des photographies sans gêne contre l'impuissance.* Et, comme il fallait prévoir le pire, on proposait contre la syphilis une *méthode unique à double action* qui avait l'avantage de remplacer les piqûres.

(1) 2, rue de Leningrad, Paris.

Ce pire, on aurait pu l'éviter grâce à des articles d'hygiène garantis un an, en *soie rose extra fine* ou en *soie brune superfine.* Beaucoup étaient même lavables et on proposait le *Vérifior, le seul appareil inoxydable, nickelé, extensible, indispensable pour vérifier, sécher et rouler tous préservatifs.*

Les dames n'étaient pas oubliées et des sages-femmes de première classe donnaient leur adresse. Tandis que Justicia affirmait : *Femmes victimes de la muflerie masculine, vous avez droit à de pécuniaires réparations que l'on vous fera obtenir sans aucun frais.*

Alphonse Allais fut un des fondateurs du *Sourire.* Il aurait apprécié l'annonce d'un Français habitant au Moyen Congo et qui, goût du canular ou coup de bambou, écrivait : *Vieillard, vulgaire, ignare, antipathique, laid, sourd, miséreux, rentrant prochainement en Europe, demande à ne pas entrer en relations avec jeune femme distinguée, cultivée, sympathique, jolie, élégante, fortunée.*

**

Un Rochelais disait à sa jeune nièce, Anouchka (neuf ans) :

— Sais-tu ce que cela signifie faire du pied?

— Bien sûr, c'est faire de l'œil sous la table.

Les dragueurs ne se contentent pas de faire de l'œil sous la table et leur insistance est parfois désagréable.

Furieuse d'être dévisagée, une dame s'écria :

— Oh! en voilà assez! Il ne fait que me défigurer.

Une patronne de café m'a expliqué qu'il était parfois difficile d'envoyer promener les gens :

— Si on est trop pimbêche, on perd des clients.

Dans la rue, on a moins besoin de prendre des gants. D'autant que, selon une Parisienne :

— Les hommes qui draguent ont rarement des formules originales. En général, ils se contentent de vous demander si vous avez soif ou si vous voulez aller au cinéma. Quand ça ne marche pas, certains vous injurient ou vous disent que vous n'êtes pas si bien que ça.

Il y a tout de même des dragueurs plus doués. Avenue de l'Opéra, un jeune homme élégant se dirige vers une jeune femme et lui dit :

— J'ai faim, je vais me trouver mal.

— Allez déjeuner.

— Impossible, je n'ai pas ce qu'il me faut.

— Ecoutez, dit la dame, je ne suis pas très argentée et...

— Mais ce n'est pas d'argent que je manque, c'est d'une compagnie.

Champs-Elysées, un autre jeune homme :

— Bonjour, comment ça va?

— Bonjour.

— Vous ne me reconnaissez pas?

— Non.

— Voyons, cherchez.

La jeune fille cherche, cite des noms d'amis :

— Vous êtes sûr que vous ne me confondez pas avec quelqu'un?

— Absolument sûr.

— Mais enfin, depuis quand est-ce que je vous connais?

Le jeune homme regarde sa montre :

— Très exactement depuis huit minutes.

Le dragueur et la draguée déjeunèrent ensemble et prirent rendez-vous pour le lendemain. Retenue au dernier moment, la demoiselle n'alla pas au rendez-vous et ne revit jamais le jeune homme dont elle ignorait le nom et l'adresse.

Il y a quelque trente-cinq ans, deux jolies

brunes traversaient le Champ-de-Mars. Elles croi-
sent deux jeunes gens, un brun et un blond. Une
des jeunes filles se retourne, aussitôt rabrouée
par sa sœur. Mais voilà que les garçons les abor-
dent.

— Depuis, racontent-elles en souriant, nous
n'avons pas pu nous en débarrasser.

Tout ça ne serait pas arrivé si elles avaient
imité cette Hélène qui, lorsqu'on l'entreprend,
répond :

— Allons, allons, vous feriez mieux d'aller vous
confesser.

Les lycéens qui draguent sont généralement
deux ou trois et ils ne se privent pas de faire des
réflexions, surtout quand les filles sont mo-
ches :

— T'as vu ce boudin boutonneux qui roule au
lieu de marcher?

Parfois, on se décide à attaquer, en utilisant
des trucs plus ou moins originaux :

— Mademoiselle, je cherche un prétexte pour
vous aborder. Vous ne pourriez pas m'en donner
un?

Les plus jeunes, qui sont souvent les plus timides, n'osent pas toujours attaquer :

— Ça se fait, m'a dit l'un d'eux, de passer dix
fois en chiotte (1) devant la maison d'une fille.

Le métro a ses dragueurs qui bien souvent ne
sont que des peloteurs :

— A seize ans, m'a dit Brigitte, je n'osais rien
dire. Maintenant, je gueule.

Celle qui a été draguée dans la rue, pelotée
dans le métro, n'est même pas certaine d'être
tranquille à l'usine ou au bureau :

— J'étais secrétaire du P.-D.G., m'a raconté
Françoise. Un jour, un chef de service a com-

---

(1) Traduire : vélomoteur.

mencé à me caresser le bras. Il a eu droit à un bel aller et retour. « Bon, ça va, m'a-t-il dit, j'ai compris. » Il ne m'en a pas voulu et il est le seul du bureau à être venu à mon mariage.

Le droit de cuissage est loin d'être aboli. Il existe pour le producteur qui peut donner ou ne pas donner un rôle; pour le photographe qui choisit entre cent modèles; bref, pour toutes les professions où la demande l'emporte sur l'offre. Dans ces cas-là, il faut beaucoup de piston, un sacré talent ou alors payer de sa personne.

Certains dragueurs essayent parfois de se faire passer pour metteur en scène et promettent un rôle qu'ils seraient bien en peine d'offrir. Le truc est tellement éculé que si un vrai metteur en scène arrête une demoiselle dans la rue, il a toutes les chances de se faire envoyer sur les roses.

Il y a des forteresses qui tombent au premier assaut, d'autres qui demandent un long siège. Et, au dernier moment, un simple détail peut transformer en défaite une victoire que l'on croyait acquise.

Vers 1960, une Parisienne, en vacances à Venise, fut courtisée par un sculpteur italien.

— Le don Juan classique, séduisant en diable et qui était vraiment la coqueluche de toutes les dames. Il m'a fait visiter les musées, les églises, et pour finir sa garçonnière. Elle était merveilleusement décorée, il y avait un lit à baldaquin. Tout allait bien, jusqu'au moment où il a commencé à se déshabiller. Or cet homme tellement élégant portait de longs caleçons en toile blanche. Quand j'ai vu ça, j'ai éclaté de rire et je suis partie en courant.

Quelques années plus tard, la même jeune femme fut courtisée par un architecte à la quarantaine avantageuse. Il l'emmena dans son ren-

dez-vous de chasse d'abord, dans son lit ensuite.
Soudain, la visiteuse poussa un cri :

— Une araignée, j'ai horreur des araignées.

Elle jaillit du lit, se saisit d'un soulier et se
préparait à frapper quand l'architecte se jeta
entre elle et l'araignée :

— Vous êtes folle, c'est Adélaïde. Elle est appri-
voisée, elle me mange toutes mes mouches.

Adélaïde échappa à la mort, mais le charme
était rompu.

— Cette fois aussi, je suis partie en courant.
Tellement vite que je me suis perdue dans les
bois et que je me voyais déjà dévorée par les araignées.

— Tu sais, maman, raconte Odile (huit ans), la
maîtresse, elle exagère! Elle a dit : « C'est toujours le masculin le plus fort. Même qu'il y ait
huit mots féminins et un seul masculin, c'est toujours le masculin qui l'emporte. »

Fronçant les sourcils, Odile conclut :

— Moi, j' crois pas ça. J' voudrais bien voir un
homme tout seul enfermé dans une pièce, et huit
femmes qui lui flanqueraient une volée. Eh ben,
je me demande comment il s'en sortirait.

J'ignore si Odile appartiendra un jour au M.L.F.
En revanche, je sais que les revendications de ces
dames agacent bien des messieurs :

— Quand je vais à Paris, je n'ose plus céder ma
place dans le métro. J'aurais trop peur d'avoir des
ennuis avec le M.L.F.

Qu'elles soient ou non au M.L.F., certaines
dames tiennent à consommer de la chair fraîche.
Une Marseillaise de trente ans expliquait à l'amie
qui lui faisait la morale :

— Que veux-tu, au-dessus de dix-huit ans, ils sentent la naphtaline.

Jusqu'au jour où elle annonça triomphalement :

— Pour te faire plaisir, je suis sortie avec un type de trente-trois ans.

Une quadragénaire en mal d'affection avait dîné avec un collègue de bureau, de quinze ans son cadet. Au retour, dans l'auto, elle se montra aguichante, puis pressante, mais sans résultats. Le bon jeune homme ne paraissait pas comprendre :

— On ne t'a jamais embrassé sur la bouche? demanda-t-elle en se serrant contre lui.

— Oh! madame, vous allez beaucoup trop au cinéma.

Même quand on leur fait la cour, certaines trouvent que les préliminaires ont assez duré. Un monsieur déjeunait avec une jeune femme et il venait de lui faire un compliment sur ses yeux.

— J'ai eu neuf amants, répondit-elle, vous allez être le dixième.

Les hommes n'aiment pas forcément que ce soit aussi rapide :

— Il ne faut pas nous priver du plaisir de la conquête.

Au point que, surpris par la facilité de la victoire, ils font parfois marche arrière. Ce qui est très impoli.

Il est plus qu'impoli, il est très laid de dénoncer les dames qui vous font des propositions. Voici pourtant la plainte que recueillit un gendarme du Loiret, en 1949 :

Au cours de la conversation que nous avons échangée, elle m'a déclaré que son mari employait vis-à-vis d'elle des moyens plutôt honteux qui poussaient parfois au sadisme qu'intentaient ses plaisirs sexuels... Je suis encore à me demander quel est le mobile l'ayant poussée à me faire une telle déclaration. Il est possible que ce soit par idéologie sentimentale.

Aujourd'hui, les dames mûrissantes et fortunées n'ont pas, comme en 1930, la ressource de lire *le Sourire* et d'y trouver le jouvenceau de leurs rêves.

Jeune homme, 25 ans, grand, bien sous tous rapports, désire connaître dame aisée, âge indifférent, qui pourrait le recevoir et le gâter.

Cette annonce n'était pas la seule du genre et le choix ne manquait pas entre *un jeune homme très drôle, sosie de Maurice Chevalier; un boxeur mi-lourd de 20 ans; un jeune homme titré, mais sans fortune; un jeune savant d'avenir, docteur en philosophie.* Ce qui était plus tentant que cet autre jeune homme se disant *moyen à tous les points de vue.*

Pas moyen du tout, *un gentilhomme roumain de 30 ans, parlant cinq langues* cherchait *une dame de la très haute société à l'automne de la vie, qu'il se flattait de rendre heureuse, si sympathie mutuelle.*

Et comment ne pas être conquise par la prose de Yannic : *Vous qui rêvez, madame, d'une juvénile et charmante tendresse, soyez la bonne fée d'un parfait chevalier délicat et câlin, las d'une existence administrative banale et sans affection...*

— Pourquoi Dieu a-t-il su tout de suite que la pomme avait été mangée? demandait une catéchiste.

Michel (cinq ans) lève le doigt :

— Parce que, mademoiselle, Dieu avait trouvé le trognon.

La Bible ne confirme pas la théorie de Michel. Elle dit seulement qu'après avoir croqué le fruit défendu, Adam et Ève réalisèrent qu'ils étaient nus et se fabriquèrent des pagnes en feuilles de figuier. Ils venaient d'inventer la pudeur.

La loi réprime l'attentat à la pudeur, mais la pudeur est affaire de civilisation. En 1946, j'ai vu de jeunes Africaines se promener poitrine nue sans choquer personne, alors que vingt-cinq ans après le mono-kini faisait scandale en France. Comme ont fait scandale les premières femmes arabes qui dévoilèrent leur visage.

— Il suffit d'aller dans un camp de nudistes pour se rendre compte que la pudeur n'existe que dans l'imagination des gens.

Un naturiste m'a raconté l'histoire d'une petite fille de six ans, arrivant au centre hélio-marin de Montalivet et voyant, pour la première fois, trois messieurs nus :

— Oh! maman, dit-elle, il y en a un qui n'a pas de bottes.

Il est bon que certains se singularisent, sinon nous serions encore à l'époque victorienne où les Anglais recouvraient les pieds des pianos d'une jupette, pour éviter des mauvaises pensées aux messieurs.

L'évolution est plus ou moins rapide selon les pays. En 1972, une troupe italienne refusa de donner une soirée pour les naturistes de Montalivet :

— Mais, le soir, ils sont habillés.

— Ça ne fait rien. D'habitude, ils sont nus.

Peut-être est-il préférable que les choses n'aillent pas trop vite. Quelque part en Alsace, un pauvre bougre passablement éméché avait eu des gestes déplacés ou trop bien placés au préjudice de demoiselles en mini-jupes. Il se retrouva fort penaud devant le tribunal :

— Que voulez-vous, mon président, quand je

vois toutes ces petites jupes, mes mains m'échappent.

En 1973, une élève de troisième montait l'escalier d'un C.E.S. de l'Essonne. Elle avait une mini-jupe si courte qu'elle se plaquait un dossier sur le bas des reins. Quand elle remit son dossier au professeur chargé de le recueillir, celui-ci sourit :

— Qu'est-ce que tu vas mettre pour t'habiller, maintenant?

Un garçon de sept ans s'était déshabillé pour montrer son anatomie à trois demoiselles du même âge, qui exhibèrent la leur en retour.

Fils de naturistes, il passait ses vacances à Montalivet :

— Tu n'en vois donc pas assez là-bas? dit maman.

— Oui, mais les zizis d'ici sont bien plus rigolos.

Ce qui est caché a toujours plus d'attrait. Une cheville, un mollet faisaient le ravissement des voyeurs 1900. Aujourd'hui, il en faut davantage. Un maçon, apercevant les cuisses d'une dame, et même un peu plus, invita ses copains à se « rincer l'œil », jusqu'au moment où la dame se retourna et où le maçon reconnut sa femme.

— En dix-sept ans de carrière, m'a dit un commissaire de police, j'ai entendu des femmes se plaindre d'avoir vu des messieurs nus, jamais l'inverse.

Les ébats en pleine nature sont interdits, même s'il s'agit de couples légitimes. Et ceux-ci ne sont pas toujours les derniers à jouer à Adam et Eve :

— Un jour, nous avons été tentés par l'ombre d'un joli pommier, m'a raconté Monique (douze ans de mariage, deux enfants). Après, nous avons fait des courses dans le village et nous nous sommes arrêtés au café. Mon mari était en short. Au moment de s'asseoir, il a regardé ses genoux.

« Quand même, m'a-t-il dit, tu aurais pu me prévenir qu'ils étaient pleins de terre. »

Il y a aussi de faux amoureux. Des gendarmes
du Loiret venaient de surprendre un couple de
braconniers, qui se réfugièrent dans une auto et
feignirent de sacrifier à Vénus. D'où ce rapport
du pandore : *J'ai suivi les susdits et je les ai vus
se livrer aux simulacres de l'amour.*

Une forme atténuée d'exhibitionnisme consiste
à raconter des histoires graveleuses, dans l'espoir
de choquer ses auditeurs. En revanche, il est parfaitement normal de raconter des histoires crous-
tillantes, voire gratinées, mais il faut veiller au
choix des termes utilisés et ne pas oublier que les
histoires paraissent souvent trop salées, parce
qu'on les raconte au potage au lieu de les raconter au dessert.

Ceux que l'on choque sont rarement les enfants
qui, dans leur école, racontent bien pire et qui
surtout savent beaucoup plus de choses que
n'imaginent les parents.

Sandrine (onze ans) avait demandé :

— Maman, qu'est-ce que c'est une prostituée?

— Une dame qui vend ses charmes.

— Qu'est-ce que ça veut dire « vendre ses
charmes »?

Maman s'embrouilla dans une longue explication, jusqu'au moment où Sandrine réalisa enfin :

— Si tu m'avais dit que c'était une putain, j'aurais compris tout de suite.

Il ne faut pas confondre la vraie pudeur et la
fausse pudeur, celle des femmes qui feignent
d'être choquées quand on appelle un chat un
chat. Or, si certaines pudeurs ont leur attrait chez
de toutes jeunes filles, elles deviennent ridicules
par la suite.

Il peut arriver que l'on soit choqué simplement

à cause d'un mot mal compris. Une directrice
d'école racontait à une assistante sociale :

— Figurez-vous, mademoiselle, que le directeur
de la Santé m'a dit, en parlant de la collègue que
vous remplacez : « Elle a beaucoup d'en-
tre-jambes. » Me dire ça à moi, mademoiselle,
vous ne trouvez pas que c'est dégoûtant?

— Moi, expliquait une jeune Marcelle, ce que
j'aime le soir avant de me coucher, c'est d'écouter
le pornographe.

Depuis cette perle, Brassens s'est affirmé « le
pornographe du phonographe », ce qui d'ailleurs
est faux. Laideur et vulgarité sont en effet les
caractéristiques de la pornographie, mais absolument pas de l'œuvre de Brassens.

En France, la pornographie est poursuivie au
titre « d'outrage aux bonnes mœurs ». Pourtant,
au siècle dernier, six poèmes des *Fleurs du mal*
de Baudelaire ont été interdits par la justice et
bien d'autres œuvres érotiques d'une grande
valeur littéraire ou artistique ont subi un sort
analogue.

Les enfants d'aujourd'hui ont beau avoir plus
de maturité que ceux d'hier, cela ne signifie pas
qu'il faut leur laisser lire n'importe quoi.

Une bibliothécaire demandait à une jeune
cliente, venue chercher un livre :

— Quel âge avez-vous?

— J'ai onze ans, mais vous pouvez me donner
pour onze ans et demi.

A onze ans et demi, on ne devrait tout de même
pas lire certains poèmes fort gaulois ou fort liber-
tins de Villon, de Marot, de Ronsard, de Régnier,
de Malherbe, de Voltaire, de Musset, de Théophile
Gautier et de bien d'autres. Cependant, là non
plus, il ne s'agit pas de pornographie.

La frontière est difficile à préciser et il en est comme du vin : un grand cru fera l'unanimité pour; une affreuse piquette, l'unanimité contre. Et personne ne sera d'accord pour dire où finit le bon vin et où commence le mauvais.

Les professionnels de la vertu oublient trop souvent qu'en s'efforçant de faire interdire ils procurent la meilleure des publicités à l'objet de leur vindicte.

Les producteurs de cinéma le savent bien!

— J'ai eu chaud, disait l'un d'eux, j'ai failli ne pas être interdit aux moins de treize ans.

Vers 1938, les affiches de cinéma qui couvraient les murs de Toulouse horrifiaient la directrice d'un pensionnat.

— Mesdemoiselles, dit-elle à ses élèves, vous ne devez à aucun prix regarder les affiches atroces qui sont sur les murs.

Le soir même, toutes les élèves regardaient en ricanant des affiches auxquelles, jusque-là, elles n'avaient prêté aucun intérêt particulier.

Les enfants ne sont d'ailleurs pas toujours choqués par ce qu'imaginent les adultes. Je me souviens d'une petite Victoria de quatre ans qui riait beaucoup, quand elle voyait un film de guerre à la télé. En revanche, elle était bouleversée si un acteur cassait une assiette ou un vase.

Pendant la guerre 1939-1945, une fermière d'un village lorrain avait deux fils, célibataires d'une quarantaine d'années. Un dimanche, ils se rendirent au cinéma et, au retour, ils racontèrent à leur mère qu'ils avaient vu, dans le film, une femme qui mettait ses bas.

Quand l'institutrice vint chercher son lait, la fermière était encore toute retournée :

— Ah! s'écria-t-elle en se signant, notre Saint-Père ne devrait pas permettre ça!

Depuis, le cinéma s'est beaucoup dénudé et

1973 a été, en France, une année fructueuse pour les producteurs de films érotiques. Pourtant, ceux qu'indigne « l'escalade de l'érotisme » devraient, encore une fois, consulter *le Sourire*. Les sex-shops d'aujourd'hui ne pourraient pas imiter Mᵐᵉ Suzanne. En 1930, cette directrice d'une librairie de Montmartre était dessinée nue, au milieu de *ses livres d'amour les plus curieux*.

On apprenait aussi que *Mᵐᵉ Louisette recevait de la façon la plus charmante dans sa coquette librairie où elle vous présentait ses collections de photographies, dont le réalisme inouï dépassait tous vos désirs.*

Ce genre de publicité occupait chaque semaine quatre pages de la revue. Et les livres, de *l'Etudiante libertine* à *Folies de luxure*, n'avaient sûrement rien à voir avec les romans d'amour de Delly.

Chère Delly, symbole de la pureté, et dont l'œuvre a bien failli être défigurée.

Il prend Sidonia par les épaules, la relève et, refermant ses bras autour d'elle, se penche et l'embrasse avec passion sur les lèvres, en l'entraînant sur le canapé.

Cette phrase se trouvait dans un projet d'adaptation télévisée d'un roman de Delly. Heureusement, la Société des gens de lettres veillait. Son représentant demanda la suppression de la scène, « tout à fait contraire, dit-il, à l'esprit de l'auteur chez qui les baisers ne se donnent que sur les cheveux » (1).

A l'inverse de Delly, la Bible ne s'en tient pas à quelques baisers sur les cheveux. On y trouve

(1) *Revue des lettres*. 2ᵉ trimestre 1973.

même évoqués des sujets que j'ai laissés de côté, tel l'inceste. Et, plutôt que de raconter l'histoire des filles de Loth, je préfère citer une anecdote récente :

— Je me marierai avec papa, disait Catherine (sept ans).

— Mais non, répondit maman, il est trop grand pour toi.

— Tant pis, je le ferai rapetisser.

La Bible raconte aussi les mésaventures de Joseph. Le jeune Hébreu avait refusé de répondre aux avances de Mme Putiphar, épouse de l'eunuque du pharaon. Elle prétendit que Joseph avait voulu abuser d'elle et il fut jeté en prison.

Les viols sont moins nombreux qu'on ne veut bien le dire. Il n'est pas tellement facile de venir à bout d'une femme sans la droguer, l'assommer ou sans se faire aider d'un ou deux complices. Et faut-il considérer comme violée la jeune fille qui regrette le lendemain ce qu'elle a accepté la veille, après quelques verres de trop?

Les patrons abusent parfois de leur servante, mais il arrive aussi que la servante soit parfaitement consentante. Comme l'expliquait en 1950 un avocat d'Orléans, contestant qu'il y ait eu violence sur la personne d'une jeune soubrette :

— Sa culotte lui a été enlevée de la manière la plus normale et la plus naturelle.

Ce n'était pas le cas pour une autre jeune fille dont on n'avait, hélas! pas entendu les cris :

— Le vent était contraire, dit le président du tribunal.

— Oui, approuva l'avocat général, on en a fait l'expérience lors de la reconstitution.

Une Réunionnaise se plaignait d'avoir été violée :

— Pourquoi n'avez-vous pas crié? demanda le juge.

— Hé, monsieur le juge, quand la douceur vous entre dans le corps...

Douceur ou non, il est bon de consulter sans tarder un médecin, afin qu'il puisse essayer de prévenir les suites éventuelles.

Un toubib de Normandie reçut ainsi la visite d'une sexagénaire qui venait d'être violée et qui voulait savoir s'il n'y avait pas de conséquences. Le médecin s'inquiéta des risques vénériens, mais la dame craignait surtout d'être enceinte. Vu son âge, il était facile de la rassurer :

— Dans ce cas, dit-elle, je vais pas porter plainte. Je veux pas lui faire de tort, à ce pauvre garçon.

Comme les alcooliques et les fous, les satyres ne sont pas toujours responsables de leurs actes. Mais ils sont dangereux. D'autant plus dangereux qu'ils risquent ensuite de tuer par crainte des représailles. Il n'y a donc rien de ridicule pour une jeune fille à avoir dans son sac un pistolet d'alarme ou un sachet de poivre.

On avait ainsi mis en garde les sœurs d'un Jacques de cinq ans. Le lendemain, celui-ci dit à une ancienne bonne de la famille, presque septuagénaire :

— Françoise, ouvres-tu au facteur?

— Oui, pourquoi?

— Tu ne dois pas, il pourrait te violer.

Avec condescendance, Jacques ajouta :

— Tu dois même pas savoir ce que ça veut dire. Eh bien, il se jette sur toi et il te peint la figure en violet.

En 1950, dans un petit village de l'Aisne, une brave femme faisait des piqûres au fils de l'institutrice. Elle en profitait pour bavarder.

— Oh! moi, raconta-t-elle un jour où la conversation était venue sur les maris, je suis bien tombée. J'ai pas d' caresses, mais i' m' bat pas.

D'autres ont moins de chance et ma tante Thérèse disait à une brave Périgourdine :

— Ma pauvre Valentine, il paraît que votre mari vous bat.

— Il faut bien.

C'est encore ma tante Thérèse qui, assistant à l'enterrement d'un voisin, réconfortait la veuve en larmes :

— Tu ne vas pas pleurer un homme qui te battait tout le temps!

— Oh! mais il me battait si bien.

La brave femme ne connaissait sûrement pas la célèbre réplique du *Médecin malgré lui :* « Il me plaît d'être battue. » Encore moins Léopold von Sacher-Masoch (1836-1905) qui donna son nom au masochisme.

On sait qu'à l'instar de l'écrivain autrichien, certains trouvent « un attrait singulier » à la souffrance, aux coups et aux humiliations. De tels excès sont sans commune mesure avec les égratignures de jeux amoureux, au cours desquels la douleur est épice légère. Il en est là comme de la cuisine où l'abus de poivre reste déconseillé.

Dame d'un certain âge, bien, indépendante, entièrement désintéressée, mais possédant par contre caractère dominateur, voire méchant, serait curieuse se rendre compte si, en dehors certaine littérature appropriée, existe vraiment un homme d'essence correcte et si possible d'extérieur sympathique qui soit absolument sincère dans ses idées et désirs, capable de soumission entière. Si pas sincère ou sérieux s'abstenir.

Cette annonce a paru en 1923, dans *le Sourire*, et on peut se demander si la dame était une descendante du Divin Marquis, Donatien-Alphonse-François, comte de Sade (1740-1814), qui laissa son nom au sadisme. Car les femmes peuvent se révéler aussi sadiques que les hommes et chacun sait que la cruauté se passe fort bien de la force brutale.

En tout cas, les maris battus remontent à la plus haute antiquité et il y a beau temps qu'ils sont moqués par leurs voisins. Autrefois, dans certaines régions, en particulier dans le Périgord, quand un homme s'était laissé frapper par sa femme, on l'habillait d'une robe et d'un fichu, on le mettait à califourchon sur un âne, la tête tournée vers l'arrière, et on le promenait à travers le village. A chaque arrêt, on lui faisait boire un verre de vin préalablement passé sous la queue de l'animal. D'où le dicton du cru, « a mountat sur l'ase », pour désigner celui dont l'épouse porte la culotte.

Jeune veuve ayant eu mari volontaire désire à son tour imposer ses caprices à gentleman raffiné.

Cette annonce et les annonces qui suivent ont paru dans *le Sourire*. Le moins que l'on puisse dire est que certaines chasseresses avaient un sacré arsenal.

Fière et impérieuse, telle une amazone antique, une belle jeune femme au corps sculptural, fardée et parée comme une déesse, moulée, chaussée et gantée de cuir fin, recherche adorateur en quête de Suzeraine.

Nagaika aime, comme la tigresse, jouer. Déconcertante, elle dispose à son gré de la proie qui, sous son regard hautain, tremble et se plie à ses caprices. Elle sait manier l'espoir car elle est belle et désirable. Hautaine, elle règne chez elle comme une reine en son palais. Son intérieur est chic. Elle y recevra généreux gentleman.

Jeune Hindoue, les cheveux noirs de jais, le corps souple, le geste onduleux, grande et très

*allurée, sachant imposer sa volonté par la fascina-
tion d'un simple regard, au travers duquel perce
toute la magie de l'Orient mystérieux, aimerait
rencontrer un gentleman très sympathique et
heureux de s'abandonner au charme de l'emprise
d'une nature exotique.*

Certaines n'hésitaient pas à se placer sous le
patronage des animaux les plus cruels.

Signe particulier, annonçait le Cobra : *je me
repais de bipèdes opulents.*

Soyez doux, je serai cruelle, disait Hyène.
*Soyez généreux et je me moquerai. J'ai envie de
mordre, qui osera m'affronter?*

Enfin, il y avait Chardon du Nil : *Je suis la fleur
du mal au parfum opiacé dont le visage divine-
ment fardé reflète une cruauté froide à jamais
égalée. Dans un décor somptueux au style très
osé, je reçois sans ambages les puissants de la
Terre. Il est entendu que par écrit des détails il
n'en est pas donné.*

Des détails, d'autres en donnaient, persuadées
d'augmenter leurs chances : *Une exception... Mais
oui, monsieur, parce que rien de ma silhouette
n'est moderne et je ne porte pas des chemises de
soie, mais le bon vieux linge de nos grand-mères.
N'est-ce pas plus joli sous tous ces froufrous? Que
celui qui apprécie mes goûts m'écrive, il pourra à
son aise admirer ces belles choses et revivre cette
époque.*

*Femme de chambre, portant d'exquises parures
froufroutantes, bas noirs et tablier blanc, accorde
entrevue discrète à monsieur pouvant l'aider à
chaque entrevue.*

Les sexologues vous diront que cela s'appelle
du fétichisme. Il y a là de quoi faire hurler d'indignation les dames qui se refusent à être seulement un élément secondaire de l'inspiration de
leur partenaire.

Sans doute ont-elles raison, mais dans un repas une table bien décorée ajoute à l'agrément des mets. Certains apprécieront même davantage un potage s'il est servi dans des assiettes rustiques qui rappellent celles de leur jeunesse. Alors, pourquoi une femme refuserait-elle à son mari de conserver tel parfum ou de n'acheter que des chemises de nuit rouges? D'autant qu'il y a des dames qui ont aussi leurs innocentes manies.

— Je me souviens d'une copine, m'a raconté Jacques, dont le lit était couvert de bonbons enveloppés de papier cellophane. Je n'ai jamais songé à me plaindre : j'adore les bonbons.

En cherchant bien, on trouve des gens pour aimer n'importe quoi, du moins si j'en juge par cette annonce, toujours du *Sourire :*

Maternelle d'instinct, je recevrai chez moi monsieur voulant revivre son enfance.

Il y a là de quoi faire le bonheur des psychanalystes. Ne leur en déplaise, je préfère une dernière annonce toute simple et qui date de 1939 : *Le printemps chante. Jolie fauvette cherche bouvreuil pouvant l'aider à faire son nid.*

Il est vrai que les animaux ont parfois droit aux petites annonces. Dans *Un plus un,* j'ai trouvé : *Bulldog puissant un peu brute, racé, plutôt renfermé mais très joueur cherche louloute marrante pour soigner ses moments de dépression.*

Maître 27 ans, 1,80 m, steward, Paris.

La plupart des animaux se débrouillent seuls. A commencer par ce pigeon qui tournait autour d'une pigeonne en étalant gracieusement sa queue :

— Regarde, maman, s'écria Annie, il veut lui montrer qu'il saura balayer, quand ils seront mariés.

*
**

Lorsque Pierre-Eliott Trudeau était ministre fédéral de la Justice, il fut le promoteur d'une loi tendant à abolir le délit d'homosexualité au Canada :

— Il ne faut pas confondre crime et péché, dit-il alors.

« Les Déserteurs du Chemin des Dames », comme les appelaient les Poilus, ont droit à bien d'autres surnoms. Ils sont surtout les héros de quantité d'histoires, certaines drôles, mais la plupart d'une grossièreté et d'une vulgarité affligeantes.

Une dame croyait que les hétérosexuels étaient ceux qui s'intéressaient aux deux sexes. « A cause d'hétéroclite », me dit-elle. En réalité, l'hétorosexuel n'est attiré que par le sexe opposé. C'est le contraire de l'homosexualité dont on oublie souvent qu'elle désigne aussi les disciples de Sapho. Curieusement, ces dames n'ont qu'une place réduite dans les histoires drôles. Peut-être parce qu'elles sont en général plus discrètes que les hommes.

Les homosexuels (ils préfèrent d'ailleurs qu'on les appelle homophiles) sont loin d'être tous des caricatures poussant la dérision d'eux-mêmes jusqu'à la provocation. S'admettre différent des autres n'est pourtant pas toujours facile :

— A dix-huit ans, m'a raconté Olivier, quand j'ai ressenti un élan vers un garçon, je me suis cru fou.

— Il faut arriver à déculpabiliser et à dédramatiser l'homosexualité, a dit Jean-Louis Bory.

Il n'en reste pas moins que les parents ont raison de mettre leur fils en garde contre certains messieurs trop aimables. Mais, lorsqu'il n'y a rien à faire, autant admettre une déviation qui présente tout de même à son crédit d'indéniables qualités artistiques et littéraires. Comment ne pas citer Platon, Socrate, Sophocle, Pindare, Virgile, Léonard de Vinci, Michel-Ange, Lulli, Tchaïkovsky, Rimbaud, Oscar Wilde, André Gide, Marcel Proust, Jean Cocteau, Federico Garcia Lorca, etc.

A côté de quelques fous ou criminels (Néron, Elagabal, Gilles de Rais), que d'hommes conquérants ou dominateurs : Alexandre, Jules César, Auguste, Hadrien, Richard Cœur de Lion, le grand Condé et bien d'autres. Certains d'ailleurs s'étant aussi intéressés aux dames.

On sait qu'il y a même des travestis mariés, mais beaucoup ne se préoccupent des femmes que pour essayer de leur ressembler, parfois au prix de douloureuses opérations et jusque dans les moindres détails.

Un médecin de Montmartre fut un peu étonné de la demande d'un(e) ravissant(e) client(e) :

— Je voudrais une ordonnance pour la Pilule.

— Vous avez donc une petite amie?

— Non, c'est pour moi, docteur. Pour mettre dans mon sac.

*La violence qu'on se fait pour
demeurer fidèle à ce qu'on aime ne
vaut guère mieux qu'une infidélité.*
                    Là Rochefoucauld.

LE QUADRILLE DES INFIDÈLES

— Dites-vous une chose, affirmait une Parisienne à sa coiffeuse, de toute façon, vous serez trompée. Entre quarante et soixante ans, votre mari aura des aventures avec des minettes. Comme vous ne pourrez pas lui rendre la pareille avec des minets, commencez tout de suite. Vengez-vous d'avance.

J'ai demandé à la dame en question si elle avait suivi ses propres conseils. Elle m'a répondu que « l'histoire ne le disait pas ».

Cent pour cent d'hommes infidèles, telle n'est pas la conclusion du *Rapport sur le comportement sexuel des Français* (1). D'après lui, 30 % des hommes et 10 % des femmes déclarent « avoir eu des rapports sexuels avec d'autres partenaires que leur conjoint durant le mariage ». Le rapport Simon ajoute : « Il s'est agi le plus souvent d'infidélités occasionnelles et peu nombreuses. » Enfin, les messieurs deviennent de plus en plus infidèles avec l'âge et les dames de moins en moins.

(1) Par le docteur Pierre Simon, Jean Gondonneau, Lucien Mironer, Anne-Marie Dourlen-Rollier (Editions Pierre Charron et René Julliard, 1972).

Sacha Guitry eut, comme chacun sait, cinq femmes. Son dentiste m'a raconté que, parlant de l'une d'elles, il lui confia :

— Un jour, je me suis aperçu que je m'étais trompé. Alors, nous nous sommes trompés.

— Moi, m'a dit un Angevin, je n'ai jamais trompé ma femme, mais je me suis quelquefois trompé de femme.

Les formules plus ou moins brillantes ne prouvent pas que les couples soient tous condamnés à l'infidélité, ni surtout qu'elle soit recommandable.

— Une double vie, m'a dit une jeune femme, ce sont souvent deux vies ratées.

Certes, il y a des épouses compréhensives, telle cette Parisienne qui disait récemment :

— Mon mari a d'abord voulu une grosse voiture, maintenant il lui faut une jeune maîtresse. Que voulez-vous, c'est un enfant!

On pourrait en dire autant de cette Parisienne, annonçant d'une voix claironnante à son coiffeur et, par la même occasion, à toutes les clientes du salon :

— Vous savez, j'ai un amant. Les coiffures que vous me faisiez plaisaient de moins en moins à mon mari. Nous nous sommes disputés encore plus violemment pour ma dernière coiffure et j'ai pris un amant à qui elle plaît.

Un mois après, coup de théâtre, la coiffure qu'avait tant appréciée l'amant ne lui plaisait plus. En revanche, elle plaisait au mari.

— Voilà, conclut la dame, nous nous sommes réconciliés et maintenant vous pouvez me faire n'importe quelle coiffure.

Certains maris cachent soigneusement leurs fredaines, mais font des cadeaux dont l'épouse n'est pas toujours dupe.

Vers les années 1900, la femme d'un député

admettait en souriant les infidélités de son mari.
Elle savait que chaque fois il avait des remords et
qu'il les effaçait en lui offrant une tapisserie des
Gobelins. Jusqu'au jour où elle estima qu'elle
avait suffisamment de Gobelins et où, toujours
souriante, elle proposa le divorce à son mari.

Aujourd'hui, on admet beaucoup moins facilement qu'autrefois la théorie selon laquelle
madame doit être fidèle, alors que les frasques de
monsieur n'ont aucune importance. Je me souviens d'une réunion, au cours de laquelle j'ai
demandé à une trentaine de dames :

— Quelles sont celles qui n'ont jamais trompé
leur mari ?

Cinq ont levé la main et une m'a dit :

— Ça dépend ce que vous appelez tromper.

On est loin en tout cas des 10 % du *Rapport
sur le comportement sexuel des Français!*

— Elles se vantaient, m'a dit un toubib à qui je
citais cette expérience.

— Personnellement, m'a affirmé un dépanneur
télé, j'ai parmi mes clientes une réussite de
l'ordre de 50 %. Les jeunes étant les moins farou-
ches, surtout celles qui ne travaillent pas et qui
s'ennuient.

Comme disait l'une d'elles :

— Mon mari ne veut plus que je travaille,
parce qu'il est jaloux de mes collègues. Au
bureau, on rigole peut-être, mais on boulonne et
on n'a pas le temps de faire autre chose. Alors
que chez moi...

Une amie m'a raconté :

— Tant qu'il y a eu des chantiers autour de
l'immeuble, ma voisine promenait son chien tous
les jours. Maintenant, elle le laisse attaché et file
en voiture, sans doute à la recherche d'autres
chantiers.

Cette très célèbre actrice de cinéma est bien

connue pour son appétit. Un jour, un jeune et
beau plombier venait présenter une facture. La
très célèbre actrice était en robe de chambre, elle
l'entrouvrit légèrement :

— Payez-vous, dit-elle.

Le plombier eut-il peur que sa facture ne soit
pas réglée? Ou bien était-il timide? En tout cas, il
rougit et refusa :

— Je ne peux pas me permettre ça, madame, je
ne suis pas le patron.

*Depuis deux jours, ça marche pas chez moi,
envoyez-moi vite un homme, car je suis obligée de
me servir d'une bougie.*

Cette lettre fut adressée, le 19 mai 1959, au
directeur de l'Electricité de France à Marseille.
Elle n'est pas la seule du genre et, si je la cite,
c'est que le document original figure dans ma col-
lection.

Les électriciens et autres plombiers ont l'avantage de ne pas avoir à se cacher sous le lit ou à
sauter par la fenêtre, en cas de retour inopiné du
mari. Aussi certains posent-ils très simplement le
problème.

— J'avais une maîtresse, disait un chauffagiste.
Elle m'a laissé tomber. Vous voulez pas la remplacer?

A croire les histoires drôles, les facteurs ont
souvent des bonnes fortunes.

— Cette époque est bien passée, m'a affirmé
l'un d'eux. Nos tournées sont de plus en plus
chargées et, même si je le voulais, je n'aurais
guère de temps à consacrer à une aventure.

Une dame qui venait de divorcer expliquait :

— Mon mari était moniteur d'auto-école et il
avait une mauvaise conduite.

Qu'il s'agisse de la conduite des autos, du ski ou de la natation, ceux qui enseignent quelque chose bénéficient du prestige du savoir et ont des chances supplémentaires. Ce qui ne veut pas dire, il s'en faut, que tous cherchent à collectionner les bonnes fortunes.

— Notre avantage, m'a expliqué un moniteur d'auto-école, est de pouvoir prendre la main d'une femme, sous prétexte de mieux la placer sur le volant, et ainsi de nous rendre compte de la façon dont elle réagit. En tout cas, je comprends pourquoi il y a des maris qui tiennent à s'asseoir à l'arrière de la voiture, pendant les leçons.

En acceptant les avances de leur moniteur, certaines dames espèrent peut-être augmenter leurs chances d'être reçues, mais d'autres se moquent de l'examen :

— J'ai eu une cliente qui prenait chaque fois trois heures de leçon.

— Elle conduisait combien de temps?

— Le temps d'aller à l'hôtel et d'en revenir.

Le dépannage d'une télé peut prendre cinq minutes ou trois heures. D'où le succès de techniciens qu'il est facile de faire revenir, sans compter qu'il est moins dangereux de tourner le bouton de travers que de provoquer une fuite d'eau ou un court-circuit.

— Celles qui disent non, m'a expliqué un dépanneur, le font très gentiment. Un peu comme si je leur proposais un nouveau téléviseur, alors qu'elles sont satisfaites du leur. Quant à celles qui acceptent, beaucoup m'affirment que je suis leur premier amant, mais je n'arrive pas à croire que ça puisse être vrai chaque fois. Elles ont besoin d'une excuse, alors elles se plaignent de leur mari : il n'est pas assez attentionné, il ne s'intéresse qu'au sport, à ses copains.

— L'ennui, m'a dit un autre, c'est que certaines

clientes voudraient continuer. Moi, je ne veux pas. C'est ma façon d'être fidèle à ma femme.

Inversement, il y a des dames qui refusent de récidiver, peut-être par crainte de s'attacher. Car, dans une liaison, une femme donne souvent plus d'elle-même qu'un homme. D'où les hésitations de celles que leur fidélité démange :

— Si je trompais mon mari, je ne pourrais pas m'empêcher de le lui dire et ça serait un drame. C'est pas marrant d'être aussi franche!

Parfois, on écrit au Courrier du Cœur, comme cette lectrice de *Paris-Soir*, avant la guerre, qui était troublée par les visites du garde champêtre.

Dois-je, demandait-elle, *rester sur le chemin de la vertu ou m'appliquer ce baume sur le cœur?*

Toutes ne se posent pas autant de questions et il y a même des épouses infidèles pour qui jouer avec le feu présente un attrait supplémentaire. Elles tiennent en particulier à ce qu'amant et mari se connaissent.

— J'ai eu une maîtresse qui prenait des risques insensés. Il m'a fallu choisir : devenir cardiaque ou rompre. J'ai rompu.

Certains hommes ont du mal à admettre que l'on résiste à leur charme.

— Un jour, un monsieur est tombé amoureux de ma voix. Il téléphonait tous les jours à mon bureau vers dix-sept heures; plus le samedi à midi chez moi. Au bout de quelque temps, j'ai accepté de prendre l'apéritif avec lui, une fois par semaine. Bien entendu, mon mari était au courant et il avait confiance. Mon soupirant aussi : « Il n'existe pas de femme qui ne finisse par se laisser fléchir », me disait-il. Il a mis sept ans à comprendre que je faisais partie des exceptions à sa règle.

— Quand j'étais jeune, m'a raconté un Arcachonnais, les congés payés étaient seulement de trois semaines et les locations d'un mois. Alors, la quatrième semaine, avec toutes ces femmes sans mari, on ne chômait guère.

Car, pour certaines, un amour de vacances ne compte pas. A la manière du marin qui disait :

— Je ne lui fais pas de tort, à Marie-Jeanne, puisqu'elle n'est pas là.

Michèle avait un soupirant, parfaitement platonique mais très épris, qui lui envoyait chaque matin une somptueuse gerbe de fleurs. Et, chaque soir, en allant chercher sa fille à l'école, Michèle offrait les fleurs à l'institutrice, de plus en plus étonnée par cette débauche florale.

— Je n'ai jamais osé lui dire qu'elle devait toutes ces fleurs à la jalousie de mon mari.

Souvent sans raisons, la jalousie peut devenir une véritable maladie, une névrose qu'il faut soigner.

— Mon père n'a émis aucune objection quand ma mère a décidé de retravailler, mais il a reçu une lettre anonyme lui disant : « Méfiez-vous, ce n'est pas normal! »

Tous les maris n'ont pas besoin de lettres anonymes pour être jaloux du patron de leur épouse ou de ses compagnons de travail. Quand ce n'est pas des voisins ou du laitier. De tels maris sont même prêts à recourir à l'horrible coutume de la ceinture de chasteté. Car, contrairement à ce que l'on pourrait croire, il en existe encore de nos jours.

Inversement, que de femmes dont les soupçons perpétuels rendent infernale la vie de leur époux, au point même parfois de le pousser à l'infidélité! Le moindre sourire, la moindre attention vis-à-vis d'une autre et c'est la scène, les cris, les larmes. Combien d'hommes ont ainsi dû renvoyer des collaboratrices efficaces et sérieuses, à cause de soupçons injustifiés!

Certains jeunes s'insurgent et professent que la franchise est une chose indispensable, plus importante que la fidélité :

— L'amour doit être une liberté, pas une prison, m'a dit Brigitte.

Pour la plupart des gens, l'amour est difficile à concevoir sans un minimum de jalousie. Une femme en voudra à son mari de ne pas lui faire de temps en temps quelques reproches. Peut-être même, pour le rendre jaloux, jouera-t-elle avec le feu.

Or le feu brûle. Un mari vindicatif avait tiré une charge de chevrotines dans le ventre de sa femme. Le lendemain, le coupable passa à l'hôpital pour prendre des nouvelles.

Etonné que l'homme n'ait pas été arrêté, l'interne demanda :

— Comment se fait-il que vous soyez là?

— Ben, faut être humain, tout de même.

Il faut aussi se souvenir que les preuves les plus formelles ne prouvent rien. J'ai dit que je ne raconterai pas ma vie, mais je voudrais citer une lettre reçue un jour et qui commençait ainsi : *Cher Jean-Charles, après la nuit merveilleuse que nous avons passée ensemble...*

La lettre adressée chez un de mes éditeurs avait été transmise à la Cancrerie. Jehanne ayant l'habitude d'ouvrir le courrier en mon absence, j'imaginai ses réactions si elle avait été la première à lire cette lettre.

Pourtant, j'étais parfaitement innocent. Il y a plus d'un âne à la foire qui s'appelle Jean-Charles, et le secrétariat de l'éditeur avait simplement pensé à moi avant de penser à un autre.

Un autre à qui j'ai retransmis la lettre en disant :

— Je raconterai un jour cette histoire pour prouver qu'il ne faut jamais se fier aux apparences.

— C'est vrai, m'a dit Anne. Un soir, une amie et moi, nous nous sommes déguisées en bonnes sœurs pour aller à une surprise-partie. En route, on s'est amusé à faire de l'œil à des passants. Dieu sait quelles conclusions erronées ils ont pu en tirer sur l'immoralité des religieuses d'aujourd'hui!

Vers 1960, un dentiste soignait un couple assez jeune. Ils étaient toujours les derniers dans la salle d'attente et ils s'embrassaient tendrement, éteignant même parfois la lumière pour bénéficier d'une ambiance plus intime.

— Ils viennent sans doute de se marier, songeait avec attendrissement le dentiste.

Ses soins terminés, la dame dit :

— Maintenant, il va falloir soigner mon mari.

— Il est soigné. Il n'a pas non plus à revenir.

— Ah! mais celui-là n'est pas mon mari. C'est mon beau-frère.

Les femmes fidèles, n'oublions pas qu'il y en a, ne le sont pas toujours pour de bonnes raisons.

— Je suis fidèle par paresse et par peur des complications, m'a confié une brune Parisienne. Quand il m'arrive d'être infidèle, je suis désagréable, parce que j'ai mauvaise conscience.

— Moi, m'a affirmé Nicole, avec un seul amant, je me sclérose. Je ne suis jamais fidèle, car cela me rend acariâtre.

Peut-être est-ce pour la même raison qu'une concierge parisienne de quatre-vingt-trois ans se refusait à dételer. Un de ses voisins m'a raconté qu'elle recevait de vaillants clochards dont elle rétribuait les services avec des camemberts :

— Elle apprécie tant les hommages de ses amants que le médecin du dessus affirme qu'il a parfois des difficultés pour ausculter ses malades.

Une demoiselle disait à son toubib :

— Oh! docteur, il n'est pas question pour moi de me marier. Les hommes sont trop volatiles.

D'autres jeunes filles sont persuadées qu'elles transformeront un don Juan en mari parfait. Hélas! la perfection ne dure pas longtemps : les don Juan ont besoin de nouveauté pour retrouver leur virilité.

Inversement, il n'est pas sûr qu'un jeune homme trop sage fera un époux d'une fidélité à toute épreuve. Combien, faute d'avoir jeté leur gourme avant le mariage, la jettent après!

Alors, alors, il n'y a pas de recette ou plutôt il y en a mille, grâce auxquelles une femme saura conserver auprès d'elle cet oiseau malgré tout moins rare qu'on ne l'imagine : un mari fidèle. Et il y a mille recettes à l'usage des maris qui veulent une femme fidèle, la première étant bien sûr de ne pas la tromper.

Une jeune Parisienne m'a raconté qu'un Espagnol lui avait fait la cour.

— Et ta femme? lui dit-elle.

— Elle est en vacances.

— Tu ne crois pas qu'elle te trompe?

— Oh! si elle faisait cela, je divorcerais.

Pour beaucoup d'hommes, l'adultère doit être à sens unique. Eux, ce n'est pas grave. De simples coups de canif au contrat :

— Ce qui n'entame en rien les sentiments profonds qu'on a pour sa femme.

Telle était sans doute l'opinion d'un habitant de Béziers qui, vers 1900, partit pour un voyage d'affaires du côté d'Avignon. Au retour, il affirma à son épouse qu'il s'était beaucoup ennuyé et que rien ne valait le foyer conjugal. Pourtant, le soir, quand il se déshabilla, madame remarqua qu'il n'avait plus de caleçon.

— C'est le vent, expliqua joyeusement le voyageur. Comme je passais sur le pont d'Avignon, un grand coup de mistral et hop! tu sais, ça aurait pu être pire!

En 1930, on disait de ce cultivateur du Tarn-et-Garonne :

— Quand il en trouve une de couchée, il ne la fait pas lever.

Un jour, arrive en vacances au village une jeune Parisienne, divorcée. Très vite, elle juge à son goût ce voisin, gai luron et point trop âgé encore. Leur liaison était la fable du village et les amants se cachaient si peu que l'épouse finit par découvrir son infortune. Le soir même, grande explication :

— Pourquoi t'as fait ça?

L'homme ne sait que dire. Il rejette son béret en arrière, se gratte le crâne, puis soudain trouve une réponse :

— C'est la saison des gros travaux. Tu te lèves de bonne heure, tu te couches tard. Si j'ai fait ça, c'est pour t'économiser.

*
**

Par certains côtés, l'adultère est un jeu qui rappelle ceux de l'enfance. Les mots de passe, les signaux convenus ajoutent du piquant à l'affaire, mais dans un jeu il y a aussi des perdants.

Un radio-taxi chargea un client qui avait un train à prendre. La gare était proche et le chauffeur ne tarda pas à ouvrir sa radio. On entendit se succéder plusieurs adresses. Soudain, le monsieur sursauta : il venait de reconnaître la sienne.

— Ce n'est pas possible, ma femme m'avait

affirmé qu'elle allait se coucher. Dites que vous prenez la course, nous retournons là-bas.

Le chauffeur de taxi n'a jamais su la fin de l'histoire. Peut-être la dame voulait-elle rendre visite à une vieille tante subitement malade ou alors... Alors, cela prouve bien qu'il suffit d'un grain de sable.

Une caméra de télévision qui montre indiscrètement les spectateurs d'un match de tennis et madame apercevra monsieur aux côtés d'une jolie blonde n'ayant vraiment rien d'un conseil d'administration.

Il faut se méfier aussi des rencontres imprévues. Vers 1930, un peintre et son neveu s'étaient rendus à Bordeaux. Ils se quittent :

— Au revoir, mon neveu, je rentre ce soir à la maison.

— Au revoir, mon oncle, je repars ce soir pour Paris.

Et le soir, les deux hommes se retrouvèrent nez à nez, à la porte de la même boîte de nuit, l'un et l'autre en galante compagnie.

— Pour un couple adultère, m'a dit François, le cinéma est toujours dangereux. A l'entracte, on risque de se retrouver à côté de la meilleure amie de sa femme. C'est pourquoi je préfère les parkings. Le lieu n'est guère enchanteur, mais il est possible de grappiller quelques baisers, sans risque d'être vus.

Il faut avouer que *la Leçon d'amour dans un parc* est un plus joli titre que *la Leçon d'amour dans un parking.* Qui sait, un nouveau Dekobra écrira peut-être quand même *la Madone des parkings.* Et l'on chantera :

　　C'est la madone des parkings,

　　Quand j' la vois, mon cœur fait bing.

— La première fois, m'a confié une jeune femme que j'interviewais en même temps que son amant, ça n'a pas été bien merveilleux. Le pauvre, je ne voulais pas aller à l'hôtel et, chez moi, il ne se sentait guère à l'aise.

— Je savais que son mari ne rentrait jamais, mais j'avais toujours l'impression qu'il risquait de surgir.

Pour le professeur Hurdon, c'est le gouvernement qui est responsable :

— On ne fait rien pour le petit adultère. Si un monsieur n'a pas les moyens de louer un appartement, il ne lui reste que la solution de l'hôtel, avec le risque de rencontrer dans le hall une personne de connaissance.

— Mon grand-père était marchand de fonds, m'a raconté un ami. Il a eu un jour à négocier un hôtel proche de la Madeleine et le prix était très élevé parce qu'il y avait deux entrées.

— En général, m'a dit un autre ami, les hôtels qui louent des chambres à l'après-midi sont plutôt des hôtels de troisième ordre.

— Pas du tout, rétorqua une dame, il y a aussi des établissements spécialisés, feutrés, discrets et où l'on vous sert, dans votre chambre, repas et champagne.

Qu'il s'agisse d'une suite somptueuse ou d'une soupente miteuse, une chambre d'hôtel est une île déserte. Pour quelques heures, on se trouve hors du monde, avec un morceau de bonheur à partager.

Encore faut-il que l'Amour soit de la partie, car le petit dieu malin est seul capable de recouvrir de poudre d'or ce qui, sans lui, ne serait qu'un banal échange de sensations.

J'ai de merveilleuses lettres d'amour de mon mari, je ne peux quand même pas les recopier

pour vous, écrivait à son amant une dame qui manquait d'inspiration.

Un ami m'a proposé une valise pleine de lettres d'amour. Je ne me suis pas senti le droit de les reproduire. Et je n'ai pas non plus cambriolé de postes restantes, ces complices officielles des amants séparés.

— On ne doit jamais écrire, affirment les professionnels de l'adultère.

— Attention également aux talons de chèques. Il ne faut pas oublier de transformer la fleuriste en cotisations de la Sécurité sociale ou le bijoutier en complément d'impôts.

La mention *trésor public* cachant alors un trésor privé.

— Mon épouse a trouvé un gant de femme dans ma bagnole. J'ai affirmé qu'il était à vous.

La dévouée assistante sourit. Elle avait l'habitude d'être utilisée comme alibi, au point que l'on chuchotait, bien à tort d'ailleurs, que le patron et elle...

Il y a belle lurette que les époux infidèles ont appris l'art de fabriquer les alibis. Hormis cette nécessité, on ne se méfiera jamais assez des confidences. Certes, il est agréable de parler de l'être aimé, mais rien ne prouve que vous ne vous fâcherez pas un jour avec la merveilleuse amie à laquelle vous racontez tout. Qui dit qu'elle ne se vengera pas, en révélant à votre mari ce que vous faites chaque mardi, de trois à six?

C'est si facile! Comme par hasard, on se trouve à la sortie du bureau de monsieur.

— Tiens, je croyais ma femme chez toi?

— Ben oui, c'est-à-dire...

On se trouble, on bafouille, juste ce qu'il faut pour éveiller des soupçons.

Une Parisienne reçut un jour un coup de téléphone d'une inconnue qui souhaitait la rencontrer. Rendez-vous fut pris dans un café où la dame se trouva en face d'une jeune femme, jolie, très maquillée, et qui lui annonça tout de go :

— Madame, votre mari *nous* trompe(1).

Une demoiselle, retour d'Afrique, parla à une copine d'un beau militaire. Un prénom, une date, un lieu et la copine devina qu'il s'agissait du mari de sa meilleure amie. Par solidarité féminine ou par vacherie délibérée, elle s'empressa de tout révéler. Si bien que le mari fut stupéfait de s'entendre demander des explications sur une aventure, pour lui sans lendemain, mais qui faillit provoquer son divorce.

La vérité peut se découvrir de bien d'autres manières. Une dame était soignée par un psychiatre. Un jour, celui-ci glissa par mégarde la fiche de sa patiente dans une ordonnance. La dame remit le tout à son époux, qui trouva la fiche et y lut entre autres : *Trompe son mari depuis trois ans.*

Il paraît que cette découverte ne provoqua aucun drame, mais au contraire une heureuse réconciliation. Qui sait, le psychiatre avait peut-être fait exprès.

Les choses ne se passent pas toujours aussi bien. L'adultère est un jeu dangereux où les enchères montent vite. Telle qui croyait à une simple parenthèse se retrouve éperdument amoureuse, déchirée entre celui qu'elle a dans la peau et celui qu'elle aime profondément.

Pour monsieur aussi, le dérapage n'est pas facile à contrôler. La nouveauté du plat lui a redonné un appétit oublié? Le voilà rajeuni de vingt ans, réalisant des performances dont il ne se croyait plus capable et amoureux fou d'une dame dont il se rend pourtant compte qu'elle ne vaut pas sa légitime épouse.

(1) On pourrait dédier ce mot à la mémoire d'Alexandre Brefford, auteur de *Ta femme nous trompe.*

Le décor est en place pour un deuxième acte de larmes, de drames, parfois même de sang. Et nul n'est en mesure de prévoir ce que sera le troisième acte.

— Rompre n'est pas si facile, m'a dit un quadragénaire qui avait eu, pendant quelques mois, une liaison avec une demoiselle de vingt ans. J'étais emporté par une espèce de tourbillon, je ne savais plus où j'en étais.

Jusqu'au jour où le père de la demoiselle surgit :

— Si vous continuez à sortir avec ma fille, je vous tue.

C'était le prétexte pour rompre et « finalement, m'a avoué mon interlocuteur, je n'étais pas mécontent ».

Car le mari volage ne demande souvent qu'à revenir vers son épouse légitime, à condition que celle-ci sache accorder un pardon sans restrictions, première pierre d'un bonheur retrouvé.

Parfois, madame préfère s'effacer, mais c'est souvent parce qu'elle a un autre amour sous roche.

— Le deuxième mariage, disent certains, a plus de chances d'être réussi que le premier. On sait les bêtises à ne pas faire.

Encore faut-il que le choix soit bon. De même qu'un excellent artisan ne fera pas forcément un industriel avisé, une merveilleuse maîtresse ne sera pas obligatoirement une épouse idéale. Et puis celle qui ment avec tant d'aisance aujourd'hui ne recommencera-t-elle pas à mentir avec la même aisance, dans quelques mois ou dans quelques années?

Si bien que le troisième acte verra peut-être le mari divorcé et remarié venir se faire consoler par son ex-épouse. Car tout arrive, au théâtre comme dans la vie.

— Moi, m'avait raconté un colonel, lorsque j'ai divorcé pour la seconde fois, j'ai décidé de me remarier avec ma première femme. Deux pensions alimentaires, c'était trop pour ma solde.

Ce qui n'empêchait pas ledit colonel d'avoir une ravissante petite amie qu'il se garda bien cette fois d'épouser.

— Il ne faut pas croire que la maîtresse ait toujours le meilleur sort, m'a dit une Parisienne. Le cinq à sept est parfait pour la bourgeoise oisive qui a passé la journée à se pomponner. Une femme qui travaille, qui a des responsabilités, a besoin de respirer, de se détendre un peu en sortant du boulot. Elle n'est pas immédiatement prête à sauter dans un lit, si bien que le temps que son amant peut lui consacrer se trouve parfois très réduit.

La réciproque est vraie. L'homme qui a eu une journée harassante n'est pas aussi disponible que l'oisif qui a tué le temps à la piscine ou au cinéma. Aussi, sauf tempérament exceptionnel, ceux qui veulent réussir professionnellement sont-ils parmi les plus fidèles.

Et l'on comprend qu'un gendarme belge ait pu écrire dans un rapport : *A avoué avoir entretenu une concubine depuis six mois et ce de façon ininterrompue, ce qui est possible puisqu'il est chômeur.*

— Je vous aime toutes les deux.

Ou tous les deux... Cette simple déclaration peut aboutir à un divorce ou à un de ces triangles en qui d'aucuns veulent voir l'avenir du couple.

Un triangle ou un rectangle... Ménage à trois ou à quatre, pourquoi la formule serait-elle plus solide qu'à deux?

Il arrive que madame se refuse au devoir conjugal et admette volontiers une suppléante. Un urologue belge se souvenait d'un P.-D.G., venu le consulter en compagnie de sa femme qui, parfaitement frigide, lui laissait certaines libertés. Diagnostic : blennorragie.

— Tu vois, dit monsieur, c'est cette nouvelle secrétaire.

— Eh bien, dit calmement madame, il faut la mettre à la porte.

Il peut y avoir des arrangements temporaires, comme le prouve une histoire vieille d'une vingtaine d'années et originaire d'une région proche de celle qui inspira *la Terre* à Zola.

Opérée d'une appendicite, une brave femme était restée hospitalisée plus longtemps que prévu. Sa belle-sœur venait de donner des nouvelles aux clientes d'une boutique du village.

— Mon pauvre beau-frère n'en pouvait plus, ajouta-t-elle, il fallait bien que je le soulage, mais je lui ai pris cinquante francs(1). Que voulez-vous, si on ne se rend pas service en famille!

Ou bien c'est monsieur que le devoir conjugal ne tente plus :

— Mon mari sait très bien que j'ai un amant. Il téléphone toujours pour annoncer son arrivée, car il trouverait désagréable de nous surprendre. Quand même, cela l'ennuie un peu et, de temps en temps, il me dit : « Quel dommage que tu ne sois pas frigide! Nous n'aurions aucun problème. »

Les travailleurs de nuit admettent parfois qu'en leur absence l'épouse esseulée choisisse quelqu'un pour lui tenir chaud.

— Tant qu'il vient la voir, je suis certain qu'elle ne fait pas de bêtises.

_____

(1) Il s'agit d'anciens francs.

C'était la théorie d'un chauffeur de taxi parisien dont la femme avait un « mari de secours », en la personne d'un jeune pharmacien. Jusqu'au jour où madame mourut et où le jeune pharmacien s'éprit d'une riche bouchère savoyarde qui lui acheta la pharmacie du village.

Or le chauffeur de taxi avait des parents dans ce village. Ils avaient tellement critiqué le triangle, dit tant de mal du jeune amant qu'ils allèrent désormais acheter leurs médicaments au village voisin :

— Des fois qu'il nous empoisonnerait !

— Il n'est pas facile, m'a dit Bernadette, de répondre non à quelqu'un pour qui l'on a de l'amitié et à qui l'on ne veut pas faire de peine. Impossible d'expliquer : « Mon pauvre vieux, tu ne m'inspires pas. »

Alors, il y a l'arsenal des bonnes raisons :

— Je suis trop amie avec ta femme. Je n'oserais plus la regarder en face.

Et autres excellents prétextes que l'on s'empresse d'oublier si le monsieur vous inspire. Le mari de sa meilleure amie, pour certaines même, cela ne manque pas de piquant. Surtout si autrefois la meilleure amie vous a fauché quelques flirts ou simplement a toujours eu plus de succès que vous.

Ce peut être aussi la revanche de la célibataire qui a le temps sur l'épouse épuisée par deux ou trois moutards. Une pas bien jolie revanche, mais, au petit jeu de pique-mari, les mauvais coups sont de rigueur.

Le tout est d'avoir un bon alibi. Jusqu'au jour où monsieur téléphone à l'alibi qui se trouble :

— Jurez-moi qu'elle est chez vous. Jurez-le-moi sur la tête de vos enfants.

Parce que l'alibi ne jure pas, le drame éclate :

— Quand même, devait dire la coupable, elle aurait bien pu jurer. Quelle imbécile! Une femme intelligente comme elle savait bien qu'il ne serait rien arrivé à ses enfants.

Un bouquet de fleurs à la main, Jehanne s'était rendue chez une amie qu'elle trouva dans tous ses états. Son amant venait de se disputer avec elle :

— Je crois qu'il veut me quitter. Je t'en prie, aide-moi, fais quelque chose.

Comme Jehanne la regardait perplexe, l'amie lui remit une paire de ciseaux :

— Crève les pneus de sa voiture.

Les devoirs de l'amitié sont parfois difficiles. Jehanne sortit, tenant d'une main son bouquet de fleurs, de l'autre les ciseaux. Il y avait une voiture devant la porte, mais une paire de ciseaux ne constitue pas l'outil idéal pour crever des pneus. Jehanne s'acharna cependant à frapper avec des « ahans » de désespoir, jusqu'au moment où une voix demanda :

— Puis-je savoir ce que vous faites?

— Vous le voyez bien, je crève les pneus de cette voiture. Enfin, j'essaie!

— Je vois, mais pourquoi essayez-vous de crever les pneus de *ma* voiture?

Jehanne bondit chez son amie qui, toujours fébrile, lui indiqua un cabriolet noir situé un peu plus loin. Il n'y avait plus qu'à recommencer : sans davantage de succès.

— A ce que je vois, c'est une manie!

Le même monsieur! Mieux valait tout lui raconter et le récit le passionna suffisamment pour qu'il propose ses services. Sans plus de succès, d'ailleurs.

Certaines dames estiment que tous les moyens

sont bons pour retenir l'homme qu'elles aiment :
— Si tu me quittes, je révèle notre liaison à ta femme.

Il y a un art de la rupture. La fille d'un diplomate venait de prendre un nouvel amant, mais n'avait pas encore prévenu le précédent. Or, le soir même, elle réunissait quelques amis autour d'un pot.

Premier coup de sonnette, elle va ouvrir en compagnie du nouvel homme de sa vie. C'est l'ancien, à qui elle doit bien sûr faire savoir qu'il est remplacé. Avec un sourire de bonne hôtesse, elle dit simplement :
— Comme c'est gentil à toi d'arriver le premier!

Pour un homme qui sait admettre sa défaite avec le sourire, combien qui se vengent!
— Certains, m'a dit une dame, racontent partout que vous n'êtes pas une affaire. D'autres vous injurient publiquement.

Les abandonnés feraient mieux de suivre le simple conseil d'une grand-mère à son petit-fils :
— Gérard, tu tournes ta casquette dans l'autre sens et tu t'en vas.

*
**

Vers 1960, un Parisien nanti d'une maîtresse très chère à son cœur était ennuyé :
— Ma femme a l'habitude de passer ses weekends chez sa mère, et moi à la chasse en Sologne, expliqua-t-il à un copain. Malheureusement, ma petite amie déteste la chasse et, si je ne rapporte pas de gibier, ma femme va se douter de quelque chose.

Le copain obligeant accepta de prendre en

charge auto, fusil et tenue de chasse. Tout alla bien mais, chose curieuse, le gibier rapporté ne semblait jamais fraîchement tué. En outre, les vêtements de chasse restaient impeccables. Jusqu'au jour où un constat d'accident renforça les soupçons du mari : la route de Deauville n'est pas précisément la direction pour se rendre en Sologne. Et quelle était donc cette mystérieuse passagère qui avait tenu à garder l'anonymat?

Le mari qui ne voulait pas aller à la chasse dut se rendre à l'évidence : son copain tellement obligeant n'y allait pas non plus. Quant à la dame avec qui il passait ses week-ends, c'était tout simplement l'épouse du pseudo-chasseur.

A trompeur, trompeur et demi! Le mari se dit qu'après tout la chose pouvait avoir du bon. Il fit faire un constat d'adultère et obtint un franc de dommages et intérêts. De quoi s'assurer un divorce à son avantage. Ce qui prouve que, sans aller à la chasse, on peut perdre sa place et chasser ensuite le coquin ou plutôt la coquine!

— Savez-vous, m'avait expliqué une avocate, qu'une femme convaincue d'adultère risque de trois mois à deux ans de prison? Le complice de la femme adultère risque les mêmes peines, alors que le Code pénal ne prévoit rien contre le mari adultère, quand la partenaire est une célibataire. Voilà un beau cheval de bataille pour ces dames du M.L.F. Il est vrai qu'elles sont contre le mariage, ce qui supprime tout risque d'adultère.

— Attention! m'avait dit un avocat, le mari peut être condamné à une amende s'il entretient une concubine sous le toit conjugal.

— Une amende mais pas la prison. Notez la différence de traitement. Sans compter que le mari qui entretient une concubine chez lui est plus coupable que la femme qui s'offre de temps en temps un cinq à sept.

En 1975, tout cela se trouvait encore dans les articles 337, 338 et 339 du Code pénal. Certes les tribunaux faisaient preuve de bienveillance dans leur application, mais alors pourquoi ne pas les abroger? Les députés étant en majorité mâles et en outre, vu leurs obligations multiples, en grand danger d'être trompés, on comprend qu'ils n'étaient pas pressés de modifier ces articles. Ils ont tout de même fini par s'y résoudre et, depuis le 1er janvier 1976, l'adultère n'est plus un délit.

Il fut un temps pas tellement lointain où les amants étaient conduits illico en prison. Ce fut le cas, en 1845, pour Léonie d'Aunet, surprise dans un appartement du passage Saint-Roch, « en conversation criminelle » avec Victor Hugo. Elle se retrouva à la prison Saint-Lazare et Victor Hugo ne se tira d'affaire qu'en rappelant qu'il était « pair de France, donc inviolable ». Par la suite, la police n'emprisonna plus les coupables et se contenta d'établir un rapport.

Bien entendu, on peut faire constater l'adultère par un huissier qui se fera accompagner par un représentant de l'ordre.

Six heures du matin, à Angers. L'homme que l'on vient de surprendre chez une dame a eu le temps de passer un pantalon. Il entasse des chaises, les unes sur les autres, et explique d'un air faussement surpris :

— Moi, je suis le déménageur.

Un déménageur pieds nus, torse nu et qui ne parvint pas à donner le change.

— Bien entendu, m'a expliqué un commissaire de police, il est préférable d'avoir repéré les lieux la veille. Sinon, l'amant risque de filer...

Eventuellement par le balcon, mais le commissaire eut des doutes. Il gagna à son tour l'appartement voisin où le fugitif était en train de supplier un jeune homme :

— Je vous en prie, dites que je suis resté toute la nuit avec vous.

— Mais, monsieur, je ne tiens pas à passer pour un pédé.

Parfois, les amants refusent d'ouvrir, d'où nécessité de faire appel à un serrurier. Les « flagrants délices » doivent cependant être effectués entre 6 heures et 21 heures, ce qui laisse une marge de sécurité.

Attention de ne pas oublier de se réveiller! Est-ce l'alouette? Est-ce le rossignol? Non, c'est l'huissier.

Dans les petites communes, il est généralement accompagné du maire.

— Je me souviens, m'a raconté un édile de l'Essonne, d'un constat fait à la requête du deuxième mari, parce que sa femme le trompait avec le premier. « Que voulez-vous, m'a-t-elle expliqué, je repréfère celui-là. »

Il n'en reste pas moins que, dans certains cas, le constat d'adultère est une procédure du plus mauvais goût. Alors qu'il est si simple d'envoyer, par lettre recommandée, une mise en demeure de réintégrer le domicile conjugal.

En cas de fuite, l'huissier peut constater qu'il y a deux places chaudes dans le lit. Ce fut le cas, vers 1937, pour une Orléanaise qui, à l'audience, nia énergiquement :

— C'étaient mes chats.

Ouvrant un panier, elle les laissa s'égailler dans la salle du tribunal.

A la sortie de cette séance mémorable, le président dit à un journaliste :

— Des animaux à l'audience, on n'a jamais vu ça!

— Pas depuis Racine, en tout cas.

— Racine... Racine, dit le président. Ah! oui, je vois, l'ancien huissier de Romorantin.

*
**

Quand Charlotte voulait raconter à sa cousine une histoire un peu confidentielle, elle disait :

— Je ne t'en parle pas, mais je t'en cause.

Je « causerai » donc de ce colonel en retraite, fort dur d'oreille et qui était parfois victime de farceurs.

— Mon colonel, lui disait un jour un plaisantin, vous êtes cocu.

— Non, non, jamais le matin.

Le terme de cocu vient du coucou, l'oiseau qui va pondre ses œufs dans le nid du voisin. Mais le coucou est gris et l'on peut se demander pourquoi le jaune est la couleur des cocus. Parce qu'on rit jaune en apprenant son infortune? Plus probablement parce que le jaune a toujours été considéré comme une couleur ignominieuse.

Hitler n'a rien inventé : la marque qu'en 1215 le concile de Latran obligea les Juifs à porter sur leurs vêtements était jaune. Et, à Paris, on peignit en jaune la porte du connétable de Bourbon, du prince de Condé et autres traîtres à la patrie. Aujourd'hui, le jaune n'est plus attribué à ceux qui trahissent, mais à ceux qui sont trahis, aux cocus cocués et non aux cocus cocuants.

En 1930, un député du Conseil provincial de Liège affirma dans un discours, prononcé lors d'un comice agricole :

— Au pays de Herve, nous sommes vingt mille bêtes à cornes.

Ce qui fit rire, puisque chacun sait que les cornes sont le symbole des maris trompés. Pourquoi ce symbole? Si j'en crois *l'Intermédiaire des chercheurs et des curieux* (1), l'origine se trouve

(1) 30 juin 1906.

dans un texte de Callicter, obscur poète grec du Ier siècle : *De celui-là, qui trouve chez lui du blé sans en acheter au marché, la femme est corne d'Amalthée.*

La corne d'Amalthée étant celle de l'abondance, on se moquait des maris qui tiraient bénéfice de leur infortune. Une simple allusion à la corne, puis aux cornes suffisait à faire rire.

L'explication du *Larousse du XIXe siècle* serait donc fausse. On y lit en effet : *La chèvre a la réputation d'être lascive et vagabonde et cette mauvaise réputation est retombée sur la tête du bouc qui est resté, parmi les animaux, la personnification du mari trompé.* Il est vrai qu'Amalthée étant la chèvre qui nourrit Jupiter, l'origine de l'expression reste caprine.

Il y eut de tout temps des cocus anonymes et des cocus célèbres. Bien des souverains le furent, Louis X le Hutin, Louis XIII, sans oublier ce bon Henri IV. Le général Bonaparte aussi, et Jean-Jacques Rousseau et Molière et Sacha Guitry.

Célèbres ou non, les maris trompés ne sont pas toujours satisfaits d'un état dont on affirme qu'il rend heureux au jeu. Un professeur, grand collectionneur de bonnes fortunes, avait fini par se ranger et épouser une demoiselle de vingt ans sa cadette. Il se retrouva cocu et fort scandalisé de l'être :

— Me faire ça à moi, un homme de ma valeur, c'est impensable!

Il récupéra son humour, le jour où, invité à un cocktail, il répondit : *Je ne puis accepter votre gracieuse invitation, car, étant cocu, il me faut procéder aux constats d'usage.*

Sans doute avait-il fait sienne l'opinion de La Fontaine :

Apprenez qu'à Paris ce n'est pas comme à Rome,

Le cocu qui s'afflige y passe pour un sot,
Et le cocu qui rit pour un fort honnête homme.
S'il ne rit pas, on se charge de rire à ses dépens.
Le théâtre de boulevard et les histoires drôles
sont là pour y aider.

Autrefois, lors de certaines fêtes, les cocus et
autres cornards étaient moqués, voire malmenés.
J'ai trouvé une vieille gravure, intitulée *La puni-*
tion des cocus volontaires comme cela se pra-
tique ordinairement à Venize. On y voit un personnage au chef orné de cornes, juché sur un âne
et fouetté de verges par les dames. Détail curieux,
entre les cornes, il y a des clochettes. J'ignore si
cette gravure a inspiré, en 1930, la fameuse chanson du Concert Mayol :

Si tous les cocus avaient des clochettes,
Des clochett's au-d'ssus, au-dessus d' la tête,
Ça f'rait tant d' chahut
Qu'on n's'entendrait plus... (1)

Mais c'est bien sûr à cause de la chanson qu'à
la fête des cocus d'Etréchy les participants arbo-
raient une clochette.

Le *Grand Larousse* signalait deux fêtes des
cocus en Essonne. A Saint-Sulpice-de-Favières, on
m'a répondu que la bannière de la confrérie dormait dans une réserve. En revanche, à Etréchy, la
fête des cocus a été relancée avec succès à la
Pentecôte 1973. J'ai demandé au conseiller muni-
cipal responsable de cette reprise s'il était marié.

— Je suis même grand-père. Tous les hommes
mariés ont défilé à travers Etréchy et j'ai pris la
direction du cortège.

Tandis que dans la foule quelques dames
durent penser malicieusement à ceux qui l'étaient
réellement. Mais, comme il est écrit sur la ban-

(1) Paroles de Léo Lelièvre fils, Henri Varna et Marc-Cab. Musique de
Jean Boyer. © Editions Salabert, 1930.

nière, en tête du défilé : *Honni soit qui mal y pense.*

Bien entendu, les Strépiniacois chantent, quitte à modifier les classiques :

Il est cocu, monsieur le maire,
C'est parce qu'il l'a bien voulu.

Si vous souhaitez gagner un apéritif, demandez à vos amis le vrai titre de la chanson (1). Ils perdront sûrement, car dans les registres de la S.A.C.E.M. figure : *Il est content le chef de gare.* En fait, il y a eu un premier titre selon lequel le chef de gare était bel et bien cocu. Je n'ai pas pu savoir si ce changement fut provoqué par une réclamation du syndicat des employés de chemin de fer. Réclamation justifiée, car pourquoi les chefs de gare seraient-ils plus trompés que les autres?

Vers 1950, un employé de la S.N.C.F. dut être traumatisé par la chanson, car il installa sous le lit conjugal un mouchard destiné à enregistrer les vibrations du sommier.

Et ce n'est pas lui qui comme Philippe (sept ans), un jeune admirateur de Serge Lama, aurait chanté :

J' suis dodu, mais content.

(1) Paroles de Crozière et Maader, musique de A. Gramet. © Editions Salabert, 1910.

*En amour, tout est vrai, tout est
faux; et c'est la seule chose sur laquelle
on ne puisse pas dire une absurdité.*
Chamfort.

LE MEILLEUR ET LE PIRE

— Té, regarde, disait une Marseillaise, le mariage ça change. Avant, quand j'allais au ciné, j'allais voir que les films d'amour. Maintenant, c'est un coup le western, un coup le sentiment.

On change, mais le mariage ne tue pas forcément l'amour, et ses adversaires les plus acharnés sont souvent ceux ou celles qui n'ont pas réussi à y trouver le bonheur. « Ils sont trop verts, disait le renard, et bons pour des goujats. »

Au cours d'un déjeuner, Léopoldine avait parlé de ses projets matrimoniaux à deux amies. Celles-ci avaient eu des expériences conjugales malheureuses et vivaient en célibataires. Elles firent chorus :

— Tu passes à côté d'un grand nombre de choses, en voulant t'occuper d'un seul homme.

— Pour rien au monde nous ne renoncerions à notre vie actuelle. Nous tenons trop à notre indépendance.

Il y a souvent une marge entre ce que les gens disent et ce qu'ils pensent réellement. Le soir, une des deux adversaires du mariage écrivait à Léopoldine :

Tu t'es trouvée face à deux solitudes qui refu-
sent de s'avouer que c'est ce bonheur-là qu'elles
recherchent. Il me tarde de trouver un jour, en
rentrant chez moi, un bonhomme qui me prendra
dans ses grands bras, me fera un énorme baiser,
parce qu'il m'aimera et que je l'aimerai.

L'amour n'est pas tout et la vie à deux néces-
site, de part et d'autre, des efforts sans lesquels
elle risque vite de devenir un brouet insipide.
Comme l'a écrit Antoine de la Motte-Houdart :
« L'ennui naquit un jour de l'uniformité. »

— Je vois si peu mon mari, m'a raconté la
femme d'un architecte de Tulle, que je ne risque
pas d'être lassée de lui.

— Moi, je travaille toute la journée avec le
mien, m'a confié l'épouse d'un assureur de Brive.
Je vous affirme qu'il y a des jours où les livres
volent.

Elle sourit et ajouta :

— Au fond, j'ai besoin de me chamailler pour
pouvoir me réconcilier. En quinze ans, je n'ai fait
qu'une fois ma valise. « Si tu t'en vas, m'a dit
mon mari, je n'aurai plus personne à
martyriser. » Et je suis restée.

Car tous les couples (légitimes ou non) qui se
disputent ne finissent pas forcément par se séparer. D'autant que Eve reste toujours Eve :

— Un jour, je me suis battue avec Frank.
Après, je le regardais d'un air terrorisé pour qu'il
se sente une brute.

Monsieur n'a pas toujours la loi. Au cours
d'une dispute, un ancien officier de marine décro-
cha son sabre et le brandit. Cela n'émut guère
madame qui expulsa, sur le palier, l'époux et son
arme. Si bien que les agents de garde au commissariat éclatèrent de rire, en voyant entrer un vieil
homme, vêtu d'une chemise de nuit et un sabre à
la main.

Gilbert eut moins de chance. C'est tout nu et par quinze degrés en dessous de zéro qu'il se retrouva dehors. Lui aussi se rendit au commissariat, mais serré dans un pantalon trop petit, prêté par le concierge.

— Je voulais voir jusqu'où je pouvais rendre Gérard furieux, m'a raconté Catherine. Quand il a balancé les coussins du divan par la fenêtre, j'ai cessé de rire.

Gérard ne décolérait pas et Catherine qui était nue finit par passer un manteau. Elle descendit dans la rue, juste à temps pour voir un homme mettre le dernier coussin dans sa voiture et disparaître avec.

Attention, cependant, que les choses n'aillent pas trop loin!

— A force de te haïr, je finirai par ne plus t'aimer, disait un professeur à sa femme.

La formule est si belle qu'on se demande si un écrivain ne l'a pas déjà glissée quelque part. Il en est de même de la recette du bonheur conjugal que donnait un vieux Suisse :

— Pour être heureux, il faut d'abord *s'aimer*, ensuite *s'aider* et troisièmement *céder*.

Le même Suisse racontait qu'un jour, où sa femme faisait la tête et refusait de parler, il alla retrouver des copains. Au retour, il dut frapper et refrapper avant d'obtenir qu'on vienne lui ouvrir.

— Elle ne voulait toujours pas me parler et elle est retournée se coucher, sans me dire un mot. Alors, je suis entré dans la chambre et j'ai ouvert un parapluie. « Qu'est-ce que tu fais là? » me demanda-t-elle, et j'ai répondu : « J'attends l'orage. » Elle a ri et nous avons passé une bonne nuit.

Mon oncle Paul m'a raconté qu'en cinquante-neuf ans de mariage sa femme ne se mit qu'une fois en colère :

— C'était un jour où je me disputais avec mon fils. Pour nous faire taire, Thérèse a pris une terrine dans le buffet et l'a cassée sur le sol de la cuisine. Je ne suis même pas sûr que c'était une vraie colère, car elle m'avoua par la suite qu'elle avait choisi une terrine fêlée.

Les termes qu'utilisent certains couples ne sont pas toujours choisis. Mon grand-père racontait l'histoire de jeunes mariés qui angélisaient à longueur de journée :

— Mon ange... mon gentil ange... mon angelette chérie... mon grand angelot.

Jusqu'au jour où, au cours d'une dispute, les voisins entendirent :

— Ah! bougre d'ange!

Aujourd'hui, j'habite la campagne et je ne suis plus dérangé par les disputes des voisins. A la place, il y a celles des pies, mais ce n'est rien à côté du couple (sympathique d'ailleurs) qui habitait, en 1963, l'appartement à côté du nôtre. Chaque soir, c'était des hurlements effrayants. Au point que les habitants de l'immeuble avaient commencé à préparer une pétition, quand soudain calme plat. Non par crainte de l'expulsion, mais grâce à la télévision, bienheureuse invention à propos de laquelle un candidat au B.E.P.C. (cru 1964) écrivait :

Devant la télévision, les cœurs se rapprochent. On s'est disputé dans la journée, on s'embrasse en riant ou en pleurant devant un film.

***

— Moi, disait David (cinq ans), j'ai un père qui est là et un père qui est ailleurs.

Cette sérénité n'est pas le lot de tous ceux que l'on change de papa (ou de maman). Trop d'enfants sont les innocentes victimes du divorce.

Mais ne risquent-ils pas d'être encore plus traumatisés par les disputes continuelles, les cris, parfois les coups qui sont le lot des ménages désunis?

Le divorce ne fait pas seulement le malheur des enfants. Beau-papa avait pour maîtresse la mère de sa bru. Il se trouva brusquement privé des mille et une bonnes raisons qu'il avait de la rencontrer.

Il est fréquent aussi qu'un des deux époux supporte mal d'avoir été abandonné. Comme l'expliquait un psychiatre, devant le tribunal de Fontainebleau :

— A la suite du départ de sa femme, l'inculpé souffrait de frustration affective, ce qui l'amena à commettre des larcins compensateurs.

Une amie m'a raconté qu'elle avait neuf ans quand elle comprit que son père et sa mère étaient sur le point de se séparer, pour se remarier chacun de son côté.

— Je connaissais les deux responsables et je leur ai écrit : *Avant que vous soyez là, nous étions bien plus heureux.* J'ai volé de l'argent pour acheter des timbres et je ne sais pas si mes lettres y ont été pour quelque chose, mais mes parents n'ont pas divorcé.

Tout le monde ne divorce pas pour une autre femme (ou un autre homme). Certains rêvent sincèrement de se retrouver seuls :

— Si je te quitte un jour, expliquait un artiste à son épouse, ce sera pour moi.

Il y a aussi des ménages, et ce sont peut-être les plus tristes, qui survivent sans amour :

— Je ne veux pas rester avec mon mari, disait une jeune femme, je ne l'aime plus.

— Mais qui te demande de l'aimer?

Pour certaines, le mari est le mâle indispensable, permettant d'avoir les enfants dont on rêve. Pour d'autres, un salaire confortable.

— Comme si, m'a dit une dame, on ne pouvait pas avoir un enfant sans père ou un salaire sans mari...

— Et, ajouta-t-elle avec un soupir, sans belle-mère.

Nanti d'une épouse, de deux filles, d'une belle-mère et de la mère de celle-ci, un brave cultivateur de ma Dordogne natale disait :

— Avec toutes ces femmes, il faut bien de la philosophie!

Ce n'est pas lui mais un jeune homme des environs, qui, lors de son mariage à Servanches, vit s'avancer belle-maman :

— Mon gendre, je vais vous embrasser. Croyez que ce sera la première et la dernière fois.

— Eh bien, puisqu'il le faut.

C'est aussi dans le Périgord qu'un proverbe affirme : « La belle-mère est la plus vilaine bête après le crapaud. »

Sans doute les belles-mères sont-elles responsables de certains divorces, comme si, dix ou vingt ans après, elles voulaient se venger de l'intrus (ou de l'intruse) qui leur a pris leur fille (ou leur fils). Mais il y a des belles-mères adorables et grâce à qui certains mariages conservent leur santé. Sans oublier les gendres qui s'entendent merveilleusement avec leur « belle-doche ».

— Au point, m'a dit une jeune femme, que je me demande quelquefois si je ne devrais pas être jalouse de ma mère.

**

— Docteur, disait une Niçoise à son dentiste, je viens vous consulter parce que mon mari m'a quittée et qu'il m'a emmené un million. Eh bien, chaque fois que je le vois, j'ai des douleurs dans les gencives et des brûlures dans le vagin.

L'abandon n'est pas forcément la pire façon de détruire un couple.

— Mon mari ne pense qu'à me tuer et moi, comme une idiote, je lui ai offert une belle carabine.

J'ai demandé à la jeune Bruxelloise qui me faisait cette confidence :

— Pourquoi l'avez-vous épousé?

— J'étais fatiguée.

Combien de jeunes filles se marient sans véritable amour, simplement pour partir de chez elles, pour être libres! Combien ne se soucient pas suffisamment de la stabilité mentale et de l'équilibre sexuel de leur futur époux! Résultat : un ménage malheureux et bientôt un divorce.

En France, le divorce fut instauré sous la Révolution, maintenu par le Code civil de Napoléon, supprimé en 1816 et rétabli en 1884. La procédure est plus ou moins longue, plus ou moins difficile, selon qu'il y a ou non accord entre les époux. Le divorce par consentement mutuel n'existe pourtant que depuis le 1er janvier 1976.

— Avant, m'a expliqué un avocat, le divorce n'était pas un constat d'échec, c'était une sanction. Trois cas étaient admis : condamnation à une peine afflictive et infamante; adultère; excès, sévices et injures graves.

On estimait pourtant qu'en 1973 70 % des divorces étaient dus à l'incompatibilité d'humeur. C'est la célèbre formule d'André Birabeau : « Nous qui ne pouvions vivre ensemble : j'avais des défauts terribles et tu avais des qualités insupportables. »

Pour obtenir le divorce souhaité, les avocats étaient obligés de fabriquer un dossier. On demandait donc aux amis de témoigner qu'ils avaient assisté à un échange de coups. Ou bien on s'envoyait des lettres ornées de quelques invectives.

— Un marin, m'a raconté un avocat, en écrivit une qui finissait par : *Terminé pour la machine.*

Personne n'était dupe, mais la loi était respectée et, avec elle, notre chère « société de connivence » (1).

— J'ai eu un client qui n'avait pas de maîtresse, alors il a commis l'adultère avec sa femme et quand l'huissier est arrivé la femme a filé dans la salle de bains, en s'arrangeant pour ne montrer que son dos.

Le truc était paraît-il couramment utilisé et, qui sait, il aurait pu être l'occasion d'une réconciliation. Les messieurs sont parfois repris d'un petit goût de revenez-y, mais madame n'est pas forcément d'accord pour autant :

— J'ai dit à mon mari : « Il n'y aura pas de dernière fois. »

Un avocat m'a raconté qu'un de ses clients simula l'adultère avec sa belle-sœur qui d'ailleurs était enceinte. Seulement, il oublia un peu les règles de la connivence :

— Non, mais dites donc, vous n'êtes pas du tout à l'heure! reprocha-t-il à l'huissier.

Lequel s'en alla sans rien constater.

— Il ne faut quand même pas dérouler un tapis rouge, m'a dit un ancien policier. Je me souviens d'un couple, à Bourges, qui voulait tellement bien faire que c'est tout juste s'ils ne se sont pas mis en action devant nous.

— Moi, m'a dit une Bruxelloise, j'ai servi de comparse pour un adultère bidon. En tout bien tout honneur. L'épouse a feint de nous surprendre, son mari et moi. Elle est allée chercher le commissaire et j'ai simulé quelques larmes : « Il

(1) L'expression est de mon confrère Paul-Jacques Truffaut qui a bien voulu m'en faire cadeau.

ne m'avait pas dit qu'il était marié. » Brave homme, le commissaire m'a consolée : « Allons, allons, vous êtes jeune. Vous en trouverez un autre. »

La connivence a néanmoins ses limites et les tribunaux ne suivaient pas forcément les avocats dans toutes leurs conclusions. En 1964, le tribunal de la Seine estima, par exemple, que le refus de laver le linge de son mari n'était pas une injure grave. Et non plus le fait de ne pas vouloir faire du camping.

En revanche, un monsieur, marié par l'intermédiaire d'une petite annonce, obtint le divorce en prouvant que les lettres d'amour qu'il avait reçues de sa fiancée étaient l'œuvre de sa future belle-mère.

— En un sens, disait-il, j'ai commis l'inceste.

Bien entendu, tout cela n'allait pas sans perles, particulièrement au cours des enquêtes.

— Je n'ai jamais tenté d'étrangler ma femme, si ce n'est réciproquement, déclarait un Alsacien.

Un secrétaire de mairie disait à une dame :

— Je ne devrais pas vous prévenir, mais, comme je ne sais pas toutes les réponses, il faut bien que je vous en parle.

Il se mit à lire les questions : *Ses mœurs sont-elles dissolues? Boit-elle? Fait-elle du tapage sur la voie publique? A-t-elle de la santé?*

— Là, dit-il, je peux répondre oui. Et pour le reste, j'ai jamais rien entendu dire, alors je répondrai non.

La justice possède des auxiliaires dévoués. Tel cet huissier écrivant : *Dans la salle à manger et dans le noir, je constate la présence d'une dame debout.*

Tandis qu'un distingué avocat de Strasbourg n'avait nul besoin d'être nyctalope pour affirmer :

— Cette femme a les mœurs dans le dos.

Il n'y a pas de prix imposé pour un divorce. Tout dépend de la complexité du dossier et de la notoriété du défenseur.

Vers 1960, une épicière d'Avignon devait se rendre chez un avoué. Elle en parla à une voisine et lui dit :

— Il m'a demandé des provisions. Croyez-vous que du sucre et de l'huile c'est suffisant?

Les divorces représentent une bonne part des revenus de certains avocats. Ceux-là souhaitent-ils qu'en cas de consentement mutuel il suffise d'une simple déclaration à l'état civil? Pourtant, à une époque où la justice est surchargée de travail, il y a encore beaucoup de pays où cette simplification serait la bienvenue.

— Si le divorce était plus facile, m'a dit Michèle, je suis sûre que les époux feraient davantage d'efforts pour retenir l'autre et, au bout du compte, il y aurait moins de divorces.

Bien entendu, le problème n'est simple que lorsqu'il n'y a pas d'enfants. Et puis il reste le cas où les époux ne sont pas d'accord et où les juges doivent rendre un jugement qui, comme tous les jugements, ne satisfera pas forcément monsieur et madame.

Une Avignonnaise s'était ainsi entendu reprocher son intempérance. Confondant avec tempérament, elle protestait :

— Question devoir conjugal, j'ai toujours accepté.

— Ça nous fait tant de plaisir et ça leur fait si peu de mal, disait un forgeron du Lot-et-Garonne.

Lorsque je citai cette phrase au professeur Hurdon, il leva les bras au ciel :

— Les dames d'aujourd'hui sont en train de

retourner la formule. Ça leur fait tant de plaisir et ça devrait nous donner si peu de mal. Seulement nous entrons dans la civilisation des loisirs et nous allons donc avoir davantage de temps à consacrer à l'amour. Les maris ne pourront plus invoquer le surmenage au bureau ou le travail à la chaîne, et le temps n'est peut-être pas éloigné où l'adultère deviendra un droit pour celles qui n'auront pas eu leur minimum orgasmique. Peut-être même créera-t-on un badge, avertissant les amants éventuels que l'on est légalement disponible.

Déjà en France, en 1973, le divorce était demandé par la femme dans 55 % des cas, contre 25 % en 1920. Et, quand on parle d'incompatibilité d'humeur, c'est bien souvent mésentente sexuelle qu'il faut comprendre.

— On a créé un ministère de l'Environnement, dit le professeur Hurdon, il serait encore plus nécessaire de penser à un ministère de l'Amour. On parle toujours de la morosité des Français, mais beaucoup sont moroses parce qu'ils sont mal équilibrés sexuellement. N'oublions pas que certains révolutionnaires célèbres ont été des gens qui cherchaient dans l'action politique une compensation à leurs échecs sentimentaux, quand ce n'était pas à leur virilité défaillante. Un gouvernement avisé a donc intérêt à veiller à l'équilibre sexuel de ses électeurs et de ses électrices.

— Ce qui est vrai à l'échelon d'un pays, ajouta-t-il, l'est à l'échelon de l'entreprise. Les patrons se préoccupent du recyclage professionnel de leur personnel. Ils devraient également penser au recyclage sexuel.

En n'oubliant pas que la mésentente sexuelle est souvent la conséquence de difficultés financières ou de logement.

— Une chaumière et un cœur, d'accord, m'a dit une jeune femme, mais essayez de vivre dans une chambre de bonne, avec un gosse. Vous verrez si l'amour y résiste.

— Quand on habite en banlieue et que l'on doit faire matin et soir plus de deux heures de train et de métro, vous croyez qu'ensuite on peut être une épouse merveilleusement câline?

Si certaines divorcent parce que leur mari n'en fait pas assez, d'autres lui reprochent d'en faire trop :

— Je n'en pouvais plus, c'était tout le temps. Non seulement trois ou quatre fois par nuit, mais pendant le repas, quand j'épluchais les patates ou que je donnais à manger au gosse.

Il y a des dames qui sont même soulagées si monsieur va porter ses hommages ailleurs. D'autres ne l'admettent pas, à commencer par cette épouse qui écrivait : *Après tout, tu ne penses qu'à ton muscle.*

Tandis qu'une Bayonnaise se plaignait devant le tribunal :

— Mon mari commet l'adultère à jet continu.

Le retour à Sodome peut aussi être considéré comme une injure grave. Eliane, qui, entre 1945 et 1950, était infirmière à Rabat, m'a expliqué :

— Lorsqu'une femme marocaine voulait « casser la carta », parce que son mari la traitait comme un petit garçon, elle allait voir le cadi. Elle s'inclinait devant lui et, sans un mot, plaçait ses babouches à l'envers.

Une Bordelaise avait un mari qui n'était son mari que de nom :

— Docteur, disait-elle, vous qui me connaissez bien, voulez-vous m'établir un certificat comme quoi je suis semi-vierge.

Un médecin de Dordogne venait d'examiner

une dame qui, après plusieurs années de mariage, n'était toujours pas déflorée. Il en parla devant le maire.

— Je devine qui c'est, s'écria celui-ci. Notre ville est déshonorée et je dois m'en occuper moi-même.

A quelque temps de là, le médecin put constater que le maire avait tenu parole.

*
**

— Pourquoi avez-vous laissé croire à votre femme que vous étiez mort? demanda le président du tribunal correctionnel à l'accusé.

— Parce que je suis timide. Je n'osais pas demander le divorce. Alors j'ai poussé mon auto dans la Seine et j'ai été vivre à l'hôtel. Je pensais que ma femme me croirait mort.

L'auto fut repêchée, vide de cadavre, et l'épouse abandonnée fit rechercher son mari. Retrouvé, il fut finalement condamné à un mois de prison avec sursis.

— Comme ça, vous pourrez aller rejoindre votre femme, dit le président.

Madame ne l'entendait pas de cette oreille :

— Je suis trop habituée à sa mort pour reprendre la vie commune.

Le pseudo-mort n'insista pas. Finalement, il obtenait ce qu'il voulait : un divorce sans avoir à le demander.

Tous les divorces ne sont pas aussi simples. Il y a des conjoints qui, en vertu de la loi de l'enquiquinement maximum, ne veulent pas admettre qu'au bout de cinq, dix ou vingt ans, l'autre a changé et qu'en amour également il y a des nuits du 4 août.

Tel qui clamait à tous vents que le bonheur est un droit refuse d'admettre que son épouse puisse le quitter pour un nouvel amour. Lui rappelle-t-on ses beaux principes, il s'écrie :

— Moi, ce n'est pas pareil!

Il risque même de se montrer encore plus mesquin que les autres, s'inscrivant au chômage pour ne pas payer de pension alimentaire.

Le problème se complique lorsque les époux sont croyants :

— Moi, disait Pascal (six ans), je ne comprends pas pourquoi le petit Jésus avait deux papas : saint Joseph et le Bon Dieu.

— Que tu es bête! répondit Marie-Christine (huit ans), si la Sainte Vierge avait divorcé, elle n'aurait plus été catholique.

L'Eglise catholique considère en effet le mariage comme indissoluble, à partir du moment où il a été librement consenti et réellement consommé. Elle accepte la séparation, mais assimile le remariage à l'adultère. Et rares sont les cas dans lesquels les tribunaux ecclésiastiques reconnaissent la nullité d'un mariage.

En revanche, l'Eglise orthodoxe estime que la vie à deux sans amour est plus dangereuse pour l'âme que le divorce. Tandis que les Eglises protestantes dénoncent le divorce et le considèrent comme un fait douloureux, mais sans pour cela juger ou exclure les divorcés.

— Pourquoi mon oncle et ma tante ont divorcé? demandait Gilles (sept ans).

— Parce qu'ils ne s'entendaient pas.

— Pourtant ils sont pas sourds.

Il peut arriver que l'on s'entende à nouveau :

— J'ai divorcé, parce que ma femme avait une fille d'un premier mariage et nous nous disputions sans cesse à son sujet. Aujourd'hui, cette fille a un métier, une vie indépendante, et je viens de me remarier avec mon ex-femme.

Lorsque la rupture est inéluctable, et cela vaut

pour un divorce comme pour la fin d'une liaison, il faut essayer que la séparation se passe de façon aussi courtoise et aussi loyale que possible.

Hélas! il est souvent plus difficile de réussir un divorce qu'un mariage et l'on est affligé de tout ce que peuvent faire deux êtres qui, à un certain moment de leur vie, se sont sincèrement aimés.

— Un divorce, c'est déjà un constat d'échec, pourquoi empirer la situation en se faisant les pires vacheries?

Les exemples ne manquent malheureusement pas, à commencer par ce mari poussant la mesquinerie jusqu'à venir récupérer des clous et des punaises dans les murs de l'appartement que conservait son épouse.

Liste de divorce, cadeaux de séparation. C'est sur la vitrine de la Farfantelle, 52, rue Jacob, à Paris, que j'ai vu cette annonce insolite.

— J'ai divorcé après vingt ans de mariage, m'a raconté la directrice de la Farfantelle. Quand j'ai dû acheter des casseroles, je me suis dit que quelque chose n'allait pas. D'où l'idée des listes de divorce.

— D'ailleurs, ajouta-t-elle, on commence à donner à Paris des réceptions de rupture, ce qui se faisait déjà aux Etats-Unis, pour dire aux amis : « Nous nous séparons, mais nous restons en bons termes et vous pourrez même nous réinviter ensemble. »

Pourquoi, en effet, le divorce signifierait-il la fin de toutes les relations amicales ou professionnelles? Je connais une dame qui est même devenue amie avec sa remplaçante. Amie avec toutefois une minuscule nuance : elle ne la tutoie pas.

En 1971, ma nièce Marie-Eve avait sept ans,

quand je lui demandai de se laisser photogra-
phier à mes côtés. Je l'invitai ensuite à déjeuner
au restaurant. Elle accepta d'autant plus volontiers que sa tante Jehanne ne serait pas de la fête.

Quelques jours plus tard, ma femme téléphona
à Marie-Eve et lui demanda :

— Alors, tu déjeunes jeudi avec ton oncle?

— Oui, et si tu viens dans le restaurant, je ferai
comme si je ne te connaissais pas.

Car, à cette époque-là, Marie-Eve avait pris une
option sur moi, en cas de veuvage.

— N'oublie pas, me redit-elle l'année suivante,
si ta femme va en prison ou meurt avant toi, je
viens.

Devant l'air triste de sa tante, elle précisa :

— Je ne dis pas que j'ai envie que tu sois
morte, je dis : « Si tu meurs. »

Marie-Eve restait néanmoins lucide et, quelques jours plus tard, elle me déclara :

— Je ne me marierai pas avec toi, quand je
serai grande, parce que tu n'auras plus la force de
me faire un bébé. Enfin, je veux dire : « Plus la
possibilité. »

N'en déplaise à Marie-Eve, il y a des messieurs
de quatre-vingts ans et davantage qui restent très
verts. Lorsque Pablo Casals épousa une jeune personne de soixante ans sa cadette, on lui attribua
cette déclaration :

— Ce n'est pas parce qu'il y a de la neige sur le
toit qu'il n'y a plus de feu à l'intérieur.

Entre seize et vingt ans, la puissance sexuelle
de l'homme est à son sommet. Elle ne fait ensuite
que décroître, mais ceux dont l'activité sexuelle a
été précoce ou particulièrement importante ne
sont pas condamnés à une vieillesse moins verte,
bien au contraire. L'important est de ne pas dételer, en se persuadant que l'amour n'est plus de
son âge.

Dans l'Indre, un couple se présente chez le médecin :

— Quel est le malade de vous deux?

— C'est mon mari.

— Pourtant, monsieur, dit le médecin, vous n'avez pas l'air malade. Vous êtes droit comme un I, vous paraissez fort comme un chêne.

— Ah! monsieur le docteur, c'est pas le chêne qui est malade, c'est le gland.

Un autre couple consulte, cette fois à Nogent-le-Rotrou. L'examen de monsieur terminé, madame intervient :

— Pendant que tu y es, dis donc au docteur que t'arrives plus à faire le beau.

Y a-t-il une limite d'âge pour faire le beau? Probablement pas et, si le docteur Kinsey avait vécu au temps de Philémon et Baucis, sans doute les aurait-il classés parmi les sexuellement actifs.

Philémon et Baucis font des perles comme les autres. Une vieille dame demandait un jour à une infirmière de Roubaix :

— Vous croyez qu'il y a des contre-indications pour donner le soir, à mon mari, une effusion de tilleul?

En espérant que cette effusion ne provoquera pas des réactions trop violentes! Car on a quelquefois des surprises. Un médecin de la Sarthe fut dérangé au milieu de la nuit :

— Venez vite, le vieux Roger est comme fou.

Roger expliqua un peu plus tard, en montrant sa femme furieuse :

— Je rentrais des batteries. Quand j'ai vu ses grosses fesses, j'ai voulu la mignonner. Elle a pris peur. Faut dire que ça ne m'était pas arrivé depuis dix ans!

Ce qui est vrai pour Philémon l'est pour Baucis. Une pensionnaire d'une maison de retraite crut un jour qu'il lui manquait un mouchoir. Elle exigea des recherches, pour finalement retrouver son mouchoir, le soir, en se déshabillant. Il était, avec d'autres, dans son soutien-gorge.

« Très plate, m'écrit la lectrice à qui je dois cette histoire, elle voulait encore, à quatre-vingt-six ans, attirer l'attention des hommes aussi jeunes qu'elle et dont elle est toujours amoureuse à en rêver la nuit. »

Une demoiselle de quatre-vingt-trois ans avait participé à un pèlerinage à Colombey-les-Deux-Eglises. Au moment du départ, on fait l'appel et elle reconnaît le nom d'un de ses anciens béguins :

— Je me suis approchée, raconta-t-elle. C'était bien lui. Tout d'un coup, j'ai eu mes vingt ans. Il était toujours aussi beau.

Didier, un jeune Belge de six ans, avait entendu parler des noces de rubis de ses grands-parents :

— Tiens, dit-il, je savais pas, moi, que grand-père il avait fait du rugby pendant quarante ans.

Tandis qu'Hervé (six ans aussi) demandait à sa grand-mère :

— Dis, mémé, c'est quand tes noces de football ?

Les noces de rubis sont un des nombreux anniversaires prévus par la tradition. Le quarantième disent les uns, le trente-cinquième affirment les autres. Car la liste présente des variantes.

Lorsqu'on se décidera à créer en France un ministère de l'Amour, une de ses premières tâches sera d'établir une liste officielle. Elle commencerait par les noces de coton (un an), puis surgirait le premier litige. La deuxième année,

est-ce le papier ou le cuir? Au ministre de tran-
cher (1).

Après viennent le froment, la cire, le bois, le
chypre, la laine, le coquelicot, la faïence.

— J'ai lu dans mon agenda, disait Véronique,
qu'à dix ans de mariage c'était la noce des trains.

Il s'agit en réalité des noces d'étain que suivent
le corail, la soie, le muguet, le plomb, etc.

Peut-être aurais-je dû attendre mes noces de
perles (trente ans de mariage) pour écrire ce livre.
J'ai préféré le terminer tout de suite, c'est-à-dire
au moment où Jehanne et moi sommes à mi-che-
min entre la cretonne et la porcelaine.

Cinquante ans, ce sont les noces d'or. Un général en retraite allait fêter les siennes, et ses petits-
enfants songèrent à présenter la reconstitution de
la rencontre des grands-parents.

A la fin de la guerre 1914-1918, Colmar accueil-
lait ses libérateurs. Les Alsaciennes en costume
devaient leur offrir des fleurs.

— J'embrasserai le plus beau, avait dit une des
porteuses de fleurs.

Ce fut un lieutenant de dragons mince, brun, à
la moustache conquérante. Mais c'est lui qui fut
conquis, au point de faire monter la jolie Alsa-
cienne sur son cheval et, quelque temps après, de
l'épouser.

La scène était jolie, pourtant je dois à la vérité
historique de dire que la reconstitution n'eut finalement pas lieu. Peut-être parce que les petits-
enfants n'avaient trouvé qu'un simple poney.

Les noces d'or ne sont pas les dernières et ceux
qui se sont mariés jeunes peuvent espérer fêter
leurs noces de diamant (soixante ans), d'albâtre
(soixante-quinze ans) ou même de chêne (quatre-
vingts ans).

(1) Le ministre pourrait aussi organiser un concours, afin de
trouver un équivalent à des mots aussi laids que *coït* et *cunnilinctus*.

Rares sont les couples qui vivent jusqu'à leurs noces de chêne, mais nombreux sont ceux qui demandent à reposer côte à côte, pour leur dernier sommeil. Tel Saint-Simon, écrivant dans son testament :

Je veux que, de quelque lieu que je meure, mon corps soit apporté et inhumé dans le caveau de l'église paroissiale de La Ferté, auprès de celui de ma très chère épouse, et qu'il soit fait et mis anneaux, crochets et liens de fer qui attachent nos deux cercueils si étroitement ensemble et si bien rivés qu'il soit impossible de les séparer l'un de l'autre sans les briser tous deux.

— Moi, m'a dit une amie, j'ai l'amour triste.

Peut-être parce qu'elle n'a jamais été vraiment amoureuse. N'en déplaise aux pleurards, l'amour c'est la joie dans le cœur. C'est l'envie de chanter, de danser, tellement on est heureux d'avoir découvert quelqu'un qui ne semble pas comme les autres. Et lorsqu'on en est vraiment persuadé, alors c'est un grand amour.

— Mais non, m'a dit une « vieille » dame de vingt-cinq ans, le grand amour n'existe pas. Faut être gamine pour y croire.

— Ça existe, a convenu une autre dame, mais ça ne dure pas forcément.

Il est toujours difficile de parier sur la pérennité d'un couple, le lien conjugal est fragile et nul n'est à l'abri d'un accident de parcours.

— Ils sont faits l'un pour l'autre. C'est merveilleux de s'aimer comme ça!

Pourtant, ce couple idéal se séparera au bout de quelques années, alors que tel autre sur qui personne n'aurait misé un centime se révélera d'une solidité à toute épreuve.

— Je n'étais pas tellement éprise de mon mari, m'a confié une Bordelaise. Trente ans après, je suis plus heureuse et même plus amoureuse que la majorité de mes amies qui se disaient folles d'amour.

Christiane avait vingt-sept ans quand elle annonça son mariage. Lorsqu'on apprit que le futur avait le double de son âge, les augures levèrent les bras au ciel :

— Vous n'y pensez pas, ma pauvre petite. Si dans dix ans vous êtes veuve?

— Eh bien, j'aime mieux passer dix ans avec lui que quarante ans avec un imbécile.

Ils ont deux enfants et, vingt ans après, j'ai voulu rappeler à Christiane sa verte réponse. Elle l'avait oubliée, mais elle était sûre d'une chose : elle ne regrettait rien.

— L'amour n'existe pas, m'a dit Nadine, il y a seulement la peur de la solitude. Alors, on idéalise celui qui vous permet de ne pas être seule.

La formule est peut-être juste pour Nadine, cela ne signifie pas qu'elle le soit pour les autres. Au terme de mon enquête, je crois au contraire que le bonheur d'être deux reste un des fondements d'une civilisation qui s'effrite sur tant d'autres plans.

— Des ménages heureux, j'en ai rencontré quelques-uns, m'a dit une libraire, mais je n'ai vu qu'un grand amour : mon père et ma mère. Vingt ans après leur mariage, on les appelait encore « les fiancés ».

Louis et Louise allaient à la même école, quelque part en Algérie. Le père de Louis était remarié et le petit garçon, qui ne s'entendait pas très bien avec sa belle-mère, venait souvent déjeuner chez Louise.

Devenu grand, Louis entra dans la gendarmerie et personne ne fut étonné quand il épousa Louise.

C'était en 1908. Il mourut en 1932, après vingt-quatre ans d'un bonheur parfait.

— Je sens un vide, dit Louise à sa fille. C'est comme si on m'avait coupée en deux, comme si je ne voyais plus que d'un œil.

Louise n'alla pas à l'enterrement et ne se rendit jamais au cimetière. Elle refusa également de faire encadrer une photo de son mari.

— Je n'en veux pas, expliquait-elle, puisqu'il est constamment près de moi.

Un jour, un voisin la demanda en mariage.

— Monsieur, c'est une offense que vous me faites.

Louise avait quatre-vingt-deux ans quand elle mourut. Se sachant perdue, elle récita ses dernières prières, avec un sourire de bonheur sur le visage.

— Tu te rends compte, dit-elle à sa fille, je vais le retrouver. Et si je rencontre le Bon Dieu, je lui dirai : « Ne me mettez pas trop loin de Louis. »

Bien sûr, Louis et Louise ne sont pas un cas unique. Je pense au jour où, devant faire une conférence à Luxembourg, j'invitai une de mes correspondantes dans cette ville. La dame en question ne vint pas et je crus qu'elle n'était pas libre ce soir-là.

J'avais pensé, m'écrivit-elle quelque temps après, *que vous me téléphoneriez, car j'avais l'intention de vous demander de venir prendre l'apéritif, ce qui m'aurait permis de vous dire que depuis la mort de mon mari j'ai, du jour au lendemain, cessé toutes relations mondaines. Je ne vais plus au théâtre, au concert, au cinéma et je n'assiste plus à aucune conférence. Nous étions très unis, nous sortions toujours ensemble, il y en a maintenant un qui manque, ce ne saurait plus jamais être la même chose. Il n'y a plus que mon travail qui m'intéresse, me passionne, me procure temporairement un certain oubli très passager. Il y a de cela vingt-deux ans.*

**

— En ce moment, beaucoup de gens meurent de nécrologie. On en voit tous les jours dans le journal.

Un médecin de la Sarthe fut réveillé à trois heures du matin :

— Je viens pour mon voisin. Il est comme mourant. Si on pouvait prendre le maire en passant. Parce qu'ils sont pas mariés.

Un moment plus tard, le maire posait la question rituelle :

— Veux-tu prendre la Marie pour épouse?

Le moribond émit un vague grognement.

— Mais, dit le maire, il est mort.

Brave homme, le médecin intervint :

— Vous n'avez pas entendu? Il a dit oui avant de mourir.

— Ah! ben, t'es mariée, ma Marie. Je te présente mes condoléances.

Un vieux Périgourdin passa plusieurs années au lit, avant de mourir. Paralysé des jambes, il avait gardé l'usage des bras et se servait d'un long bâton pour taper sur sa femme. Il finit tout de même par rendre l'âme et la veuve disait un jour :

— Que je m'en vais à Servanches, porter quèques chrysanthèmes sur la tombe de mon vieux tarde-z'à-crever.

Pour d'autres, la mort de l'être cher vient trop tôt. Le marquis avait rendu le dernier soupir vers les deux heures du matin. Le médecin qui était à son chevet devait partir. Pensant que la marquise aimerait mieux ne pas rester seule, il lui demanda :

— Voulez-vous que je téléphone à votre fille et à votre gendre?

— Ce n'est pas pressé, docteur. Je n'ai pas besoin d'eux... Je n'avais besoin que de lui.

Combien d'époux âgés qui ne peuvent supporter l'idée de survivre à l'autre. On se suicide ou plus souvent on se laisse mourir. Certains continuent à vivre, que la solitude rend parfois inquiets. Telle cette fermière appelant le médecin à minuit :

— Quand mon mari est mort, j'ai entendu un hibou. Là, je viens d'en entendre un et j'ai peur de mourir cette nuit.

Un riche héritage n'est même pas forcément une consolation :

— Mon mari m'a laissé ses jouissances, je n'en ai pas profité, disait une dame à son notaire.

La meilleure consolation est peut-être d'évoquer le souvenir du cher défunt :

— Un homme si propre, expliquait une Périgourdine, il crachait jamais par terre.

Ce n'est pas sans une pointe d'émotion qu'une autre Périgourdine (soixante-dix-huit ans) disait :

— Mon mari et moi, nous ne formions pas un beau couple, nous n'étions beaux ni l'un ni l'autre, mais je le prenais par le bras, il me prenait par la taille, et nous voilà partis.

Ultime fierté pour la veuve, le défunt est décoré à titre posthume :

— Vous savez, racontait une Bretonne, on a décoré le colonel à titre de costume.'

Parfois, on idéalise. Tel coureur de jupons notoire deviendra un modèle de vertus domestiques. Plus ou moins consciemment, la veuve se venge. Il lui avait échappé toute sa vie. Maintenant, il est bien à elle et comme elle souhaite qu'il soit.

— Mon mari, confiait une Bordelaise, m'aimait beaucoup. Il avait le sang tellement alcalin.

Nul ne peut préjuger de l'avenir. Lors d'une visite au cimetière de Marly-le-Roi, ma grand-mère vit une dame en prières sur la tombe de son mari.

— Viens me chercher, disait-elle d'une voix tragique, viens me chercher.

Il faut croire que le défunt n'obtempéra pas, car quelque temps après la dame convolait.

En France, il y a (sans compter les veuves de guerre) cinq fois plus de veuves que de veufs :

— C'est la preuve, m'a dit un ami, que le mariage est plus dangereux pour l'homme que pour la femme.

La conclusion est peut-être hâtive et, de toute façon, cela n'empêche pas les remariages.

— J'ai été très heureuse avec mon mari. Quand je l'ai perdu, j'ai cru d'abord que je ne me remarierais pas et puis je me suis rendu compte qu'il m'avait fait trop aimer le mariage et j'ai épousé son meilleur ami.

Vers 1930, un marchand d'ail des halles centrales du Havre était tout content d'avoir retrouvé une épouse :

— Quand on est seul, expliquait-il à une cliente, on est malheureux, vous savez. Ce n'est pas tant pour le lavage mais surtout pour le cousage.

Alain (cinq ans) avait vu, pour la première fois, un Ecossais en kilt.

— Le pauvre monsieur, dit-il, il a perdu sa femme et il use ses vieilles affaires.

Marie-Pierre (six ans) s'intéressait au cas d'un voisin devenu veuf pour la troisième fois :

— Il ne se remarie pas le pépé? Ça ne lui dit plus rien? Il est vrai qu'il est bien vieux, il ne pourrait plus. Il serait trop fatigué le lendemain.

— Pourquoi? demande maman, un peu effa-
rée.

— Tu sais bien qu'à une noce on mange tard,
après on chante et on danse longtemps. Alors, à
son âge!

A son âge, on passe encore des petites annonces où il est rarement question de « mariage
blanc ». Dans le numéro de juillet 1973 du *Chasseur français,* j'ai trouvé *un octogénaire aller-
gique à la solitude, désirant vue mariage dame
maximum 60.*

Tandis qu'une annonceuse de soixante-treize
ans proposait : *Affligé, combattez solitude hiver-
nale auprès veuve allègre... recherchant attache-
ment rénovateur.*

Il n'y a pas de limite d'âge. Un Parisien qui
possédait une petite maison à la campagne y
installa sa grand-mère de quatre-vingt-trois ans.

— J'espère que tu ne vas pas t'ennuyer.

Non seulement la grand-mère ne s'ennuya pas,
mais elle tomba amoureuse d'un ancien meunier
de deux ans son aîné. Il y eut des promenades, la
main dans la main, et tout se termina par un
mariage.

— Mais, raconte le petit-fils, il y eut aussi un
contrat draconien.

On avait demandé à Victoria (cinq ans) :

— Quelle différence y a-t-il entre le ciel et l'enfer?

— C'est simple, quand on est au ciel, Jésus
nous fait sauter sur ses genoux et, quand on est
en enfer, le diable nous fait sauter dans la poêle.

Qui ira dans la poêle? Ceux qui n'ont pas aimé
conformément aux règlements de l'Eglise catholique? Mais elle autorise les veufs à se remarier et
cela inquiétait l'un d'eux :

— Que se passe-t-il de l'autre côté, lorsqu'on a
eu deux femmes?

L'idée du paradis à trois ne devait pas troubler ce facteur d'une petite ville du Doubs. Quand il convola en 1925, ses amis vinrent le féliciter à la sacristie :

— Vous êtes heureux! Une belle journée!

— Oui, mais c'est dommage, il en manque une.

TABLE DES MATIÈRES

L'auteur remercie les éditions Digoudé-Diodet de l'avoir aimablement autorisé à publier quatre vers extraits de *Mariez-vous donc* (page 23). Il remercie les éditions Salabert de l'avoir non moins aimablement autorisé à publier quatre vers de *Si tous les cocus...* (page 215).

JEAN-CHARLES

HARDI! LES CANCRES

Le père de Napoléon Ier était Napoléon zéro.

Le voltmètre est un appareil qui sert à mesurer le courant qui passe à un mètre de hauteur.

Une grève générale, c'est quand les généraux sont en grève.

Un chiffre impair est un chiffre qui ne prend pas l'eau.

Un matador est une personne qui adore les maths.

Un usager de la route est un vieux qui ne peut plus marcher.

La femelle du perroquet est la perruque et la femelle du bouc est la barbe.

La religion se divise en trois parties : le ciel, l'enfer et le réfectoire.

Si ces perles vous ont fait rire, vous trouverez dans *Hardi! les cancres* mille et une autres occasions de rire avec les perles des élèves, mais aussi avec les perles des professeurs.

JEAN-CHARLES

LE RIRE C'EST LA SANTÉ

Un médecin, passionné de sport mais submergé de travail, avait l'habitude de jeter un coup d'œil à la télévision de ses clients, afin d'être au courant des derniers résultats sportifs.

Un jour, il prenait la tension d'une vieille dame, tout en regardant un match de rugby.

— Combien, docteur? demanda la malade au moment où le médecin rangeait son tensiomètre.

— Seize à trois.

Cette anecdote et bien d'autres, vous les retrouverez dans *Le rire c'est la santé*. Jean-Charles a en effet rencontré des centaines de médecins, de chirurgiens, d'infirmières, de pharmaciens, de dentistes, de visiteurs médicaux qui lui ont raconté les aventures les plus étonnantes ou les plus amusantes de leur carrière.

JEAN-CHARLES

LA BATAILLE DU RIRE

« D'où viennent les histoires drôles? »
Pour répondre à cette question, Jean-Charles
est parti à la recherche des histoires
dont l'origine est la plus mystérieuse,
c'est à dire celles que l'on racontait de 1940
à 1945 et qui permettaient de rire aux dépens
d'Hitler, Goering, Mussolini and Co.

L'occupation ne fut pas seulement le temps
des histoires drôles. Les graffiti sur les murs,
les journaux clandestins, les canulars héroïques
de certains résistants, les démêlés des
chansonniers avec la censure, les astuces
des prisonniers, tout cela vous le retrouverez
dans *la Bataille du rire*.

Le nazisme vaincu, Hitler et Mussolini
morts, la route du rire ne fut pas coupée
pour autant. Staline, Khrouchtchev, de Gaulle,
le pape, les Juifs, les Belges sont l'occasion
de nouvelles batailles, en général moins
féroces, mais toujours aussi drôles et dont
chaque fois le rire sort vainqueur.

JEAN-CHARLES

LA FOIRE AUX BIDASSES

Avant 1939, l'adjudant chargé du cours d'hippologie à l'Ecole de cavalerie de Saumur commençait sa première leçon toujours de la même manière :

— Hippologie, ce mot vient du grec. De hippos qui veut dire science, comme dans hypothèse, et de logis qui veut dire cheval, comme dans maréchal des logis.

Vous retrouverez cette anecdote et des centaines d'autres du même genre dans *la Foire aux bidasses*, un livre fourmillant de perles et de gags qui vous fera en même temps découvrir certains aspects peu connus du folklore militaire.

Attention! la lecture de *la Foire aux bidasses* est strictement réservée à ceux qui ont fait, font ou vont faire leur service militaire; aux femmes curieuses et aux militaires de carrière qui ont le sens de l'humour.

« Composition réalisée en ordinateur par IOTA »

IMPRIMÉ EN FRANCE PAR BRODARD ET TAUPIN
7, bd Romain-Rolland - Montrouge.
Usine de La Flèche, le 20-02-1979
6824-5 - N° d'Editeur 1437, 1er trimestre 1979